Markus Werner

Bilder des Endgültigen
Entwürfe des Möglichen

Zum Werk Max Frischs

Herbert Lang Bern
Peter Lang Frankfurt/M.
1975

ISBN 3 261 01507 1

©

Herbert Lang & Cie AG, Bern (Schweiz)
Peter Lang GmbH, Frankfurt/M. (BRD)
1974. Alle Rechte vorbehalten.

Druck: Lang Druck AG, Liebefeld/Bern (Schweiz)

ABER VIELLEICHT IST DIES DER STÄRKSTE
ZAUBER DES LEBENS: ES LIEGT EIN GOLD-
DURCHWIRKTER SCHLEIER VON SCHÖNEN
MÖGLICHKEITEN ÜBER IHM, VERHEISSEND,
WIDERSTREBEND, SCHAMHAFT, SPÖTTISCH,
MITLEIDIG, VERFÜHRERISCH.

FRIEDRICH NIETZSCHE

Inhaltsverzeichnis

ABKÜRZUNGEN

JR	Jürg Reinhart
Ant	Antwort aus der Stille
Bin	Bin oder die Reise nach Peking
Schw	Die Schwierigen oder j'adore ce qui me brûle
St	Stiller
HF	Homo Faber
G	Mein Name sei Gantenbein
S I	Stücke 1
S II	Stücke 2
Rip	Rip van Winkle (Hörspiel)
Bl	Blätter aus dem Brotsack
TB I	Tagebuch 1946–1949
TB II	Tagebuch 1966–1971
Ö a P	Öffentlichkeit als Partner
Bienek	Werkstattgespräche mit Schriftstellern (Interview)
D + T	Dichten und Trachten (Fiktives Interview)
Dr	Dramaturgisches (Ein Briefwechsel)

Nähere Angaben im Literaturverzeichnis

EINLEITUNG: HOMO VIATOR

> Wenn es Menschenart war, sich festzuwachsen, dann
> würde er vorziehen, ruhelos seinen Ort auf der Erde zu
> wechseln, um seine Herzenskräfte zu üben und der
> Verwandlung offenzubleiben.
>
> Albin Zollinger, Die Grosse Unruhe

"Oft, während ich hier sitze, immer öfter wundert es mich, warum
wir nicht einfach aufbrechen —" (TB I 72)
Der sich hier so nachhaltig wundert, sitzt am Ufer des heimat-
lichen Sees und gönnt sich einige Minuten meditativer Einkehr,
ehe die Arbeit am Reissbrett beginnt. Was ihn umtreibt, ist kaum
nur juvenile Laune; weit eher Ausdruck der unruhigen Grundstim-
mung eines reifen und doch stets noch fluchtbereiten Mannes, der
nicht willens ist, mit irgendeiner Gegebenheit zu paktieren und der
alle Umgarnungsversuche der Welt mit Abscheu von sich weist.
Max Frisch hat mit dieser seiner Allergie und Unrast, mit dem
verzehrenden Wunsch nach Aufbruch, Ausbruch und anderem
Leben fast alle seine Zentralgestalten ausgestattet. Sie packen die
Koffer, spannen die Segel aus und suchen das Weite. Manche in
Wirklichkeit, manche im Wachtraum.
Den Anfang macht Jürg Reinhart, versponnener Held in Frischs
erstem Roman — Bericht einer "sommerlichen Schicksalsfahrt"[1].
Schon hier taucht das "Bekenntnis zum Ewig-Unsicheren"
(Schw 153) auf, ein Bekenntnis, dem Frisch selbst bis heute
unbeirrt treu geblieben ist. "Und morgen verlasse ich Istanbul,
gnädiges Fräulein: immer weiterreisen, vorübergehen und immer
weiterreisen, als wüsste man ein Ziel." (JR 168)
Ein Ziel freilich kennt diese Art Wandertrieb nicht; es würde den
Weg unzulässig verengen und festlegen. Die gegenstandslose Reise-
lust fordert nur eines: das Ersehnte muss fern sein, jenseits aller
Grenzen, schön, fremd und anders als alles, was hier und jetzt zu
haben wäre. So Peking, erträumte Stadt und Chiffre für alles
Entbehrte, für das ganz Andere, das Kilian nie erreichen wird. So

---

1 So heisst der Untertitel des 1934 erschienenen Romans "Jürg Reinhart"

11

das Hawaii des eingeschneiten Rittmeisters in der Romanze 'Santa Cruz' und so auch der erloschene Meereskrater Santorin, von dem Graf Öderland schwärmt. Das alles sind nicht reale Ziele, sondern imaginierte Oasen des Glücks — Utopien in des Wortes ursprünglicher Bedeutung. Utopia zu erreichen ist so unmöglich wie unerwünscht: nichts vermöchte die Gestalten dieses Dichters weniger zu erfüllen als gerade Erfüllung, ist doch erklärtermassen "das Schönste" immer der *Weg* (S I 57) und "unser bestes" die *Sehnsucht* (Bin 89).

Auch im zweiten Jugendwerk Frischs, in der Erzählung 'Antwort aus der Stille', macht einer sich auf, "das wahre und grosse und lebenswerte Leben" (Ant 87) zu suchen, zuhause eine Braut zurücklassend, die sich fragt, "wieso ein geliebter Mann, zwei Wochen vor der Hochzeit, einfach ausbricht und einen solchen Drang nach Freiheit bekundet? " (Ant 81) Ihm aber steht der Sinn nach "fremden Städten, wo bunte Schiffe in einem Hafen stehen . . . und wo man einfach auf einem Koffer sitzt, allein, ohne Bindung und ohne Adresse, nach allen Winden bereit" (Ant 88).

Noch oft erscheint (nebst dem Schiff) das Requisit des Koffers, das so nachdrücklich den Willen zur Ausreise bezeugt. In 'Santa Cruz':

Rittmeister:	Die Pferde geschirrt?
Diener:	Gewiss, Euer Gnaden.
Rittmeister:	Die Koffer verladen?
Diener:	Euer Gnaden befehlen — (S I 43)

Im Roman 'Die Schwierigen oder j'adore ce qui me brûle' findet Hinkelmann seine Gattin Yvonne eines Tages "vor offenen Koffern . . . , vollkommen entschlossen, ihn und das Haus . . . , alles, was es überhaupt gab, zurückzulassen . . ." (Schw 23)

Komische Funktion bekommt das Reisezubehör im 'Philipp Hotz': "Damit du es weisst: Ich bin jetzt beim Packen. Hemd, Zahnbürste, Pyjama. Alles Weitere, nehme ich an, liefert die Fremdenlegion." (S II 149) Regieanweisung: "Hotz . . . packt ein winziges Köfferchen." (ebd.) Schon der Diminutiv zeugt von der schwankhaften Entschärfung der zumal im 'Öderland' noch so blutig-ernsten Ausbruchsthematik.

Gewichtiger und weitgehend entromantisiert ist das "Heimweh nach der Fremde" (TB I 25)[2] im 'Stiller'. Ein grosser Ruheloser auch er, Anatol Stiller, aber ohne die unbändige und märzlich beschwingte Gebärde früherer Gestalten. Hier wandert kein Freibeuter und Vagant aus, sondern ein Bedrängter, der im Grunde von Anfang an ahnt, was ihm später zur Gewissheit wird: "Es gibt keine Flucht." (St 77)

Anders leben, Aufbruch zu immer neuen Ufern – dies erweist sich als eine Generaldevise im frühen Schaffen Max Frischs. Aber noch im Roman 'Mein Name sei Gantenbein' ist ein sich ständig Häutender unterwegs, in der Hoffnung, dass im endlosen Spiele möglicher Lebens-Variationen das eigentliche Thema sich entdecke: die Wirklichkeit seiner Person.

Die quälende Einsicht: man sollte anders leben, "hätte anders leben sollen" (S I 117), die schon den gefallenen Hauptmann im Drama 'Nun singen sie wieder' bewegt, wird schliesslich auch zum Anlass des letzterschienenen Stückes von Max Frisch: 'Biografie: Ein Spiel'.

Am reinsten und verdichtetsten indessen spricht sich das berauschende Ideal "ewiger Agilität"[3] in einem Abschnitt des Grenzdienst-Tagebuches 'Blätter aus dem Brotsack' aus. Hier wird dem Homo Viator und dessen provisorischer und proteischer Existenz ein Hymnus gesungen, wie nur ein romantisch Gestimmter ihn singen kann:

> "Wer denkt nicht manchmal: so müsste man sein ganzes Dasein erleben können, wie diesen Tag, als ein grosses, ein einziges, ein dauerndes Abschiednehmen ... wandern und nicht verweilen, wandern von Stadt zu Stadt, von Ziel zu Ziel, von Mensch zu Mensch, immerfort wandern und weitergehen, auch da, wo man liebt und gerne bliebe, auch da, wo das Herz bricht, wenn man weitergeht ... und auf

---

2 Dieser Ausdruck stammt ursprünglich von Albin Zollinger. Vgl. 'Der Halbe Mensch', Ges. Werke Bd. II, S. 9
3 Der Schlegel'sche Begriff soll hier nicht nur die Bewegung des Geistes bezeichnen.

keine Zukunft sich vertrösten, ganz und gar die Gegenwart[4] empfinden, als ein immer Vergängliches . . . und so ein ganzes Dasein lang . . . und alles nur erobern, um es zu verlieren, und immer weitergehen, von Abschied zu Abschied . . .
O, wer diese Spannkraft der Seele hätte!" (Bl 27)

4 Manfred Jurgensen meint, Frisch bekenne sich an dieser Stelle "zum Erbe einer Goetheschen Weltanschauung" (Max Frisch — Die Romane, S. 18). Dass Goethes "erfüllter Augenblick" wenig mit dem hier gepriesenen Carpe diem zu schaffen hat, sei hier nur erst am Rande vermerkt. Vgl. 43ff.

I. TEIL: BILDER DES ENDGÜLTIGEN

Der leidenschaftlichen Bejahung eines Daseins auf Probe und Abruf entspricht eine Negation all dessen, was solcher Existenzform hemmend im Wege steht. Und umgekehrt: Ein Dasein ohne Spielraum, in Enge eingekeilt und von Definitivem umstellt, sinnt auf Ausbruch und wünscht sich ins Ungebundene. Entscheiden zu wollen, was hier das Erste ist und was das Zweite, wäre müssig; ein gewisses Freiheitsbedürfnis ist Voraussetzung, um Unfreiheit überhaupt wahrzunehmen, wie andrerseits ein gewisses Mass an Unfreiheit vonnöten ist, um das Bedürfnis nach Freiheit wachzurufen.

Dichterische Naturen pflegen oft besonders heftig auf vermeintliche oder tatsächliche Beschneidung ihrer Bewegungsfreiheit zu reagieren. Die 'Reizschwelle' kann hier unter Umständen so niedrig sein, dass alles, was überhaupt nur *ist* — mithin die *Wirklichkeit* schlechthin —, mit Argwohn bedacht wird. Denn: "Eng ist, was ist; was sein kann, unermesslich[1]."

Auch Max Frisch ist dem "Zufallskind Wirklichkeit"[2] nicht gewogen. Es ängstet und langweilt ihn gleichermassen. Unverhohlenen Hass aber provoziert es dort, wo es sich als abgeschlossen und endgültig etabliert. Der Geist weht zwar wo er will, sicher aber nicht im Fertigen, denn — um mit Musil zu sprechen — er "hasst heimlich wie den Tod alles, was so tut, als stünde es ein für allemal fest"[3].

Alltag, Ordnung, Enge

> Dieselben Dinge täglich bringen langsam um.
>
> Ernst Bloch, Das Prinzip Hoffnung

Die "verfängliche Hoffnung auf den Feierabend und das Wochenende" (TB I 72) mag Sklavenseelen bei der Stange halten; den

---

1 Alphonse de Lamartine. (Zitiert nach einem Kalenderspruch)
2 Hugo von Hofmannsthal, Das Tagebuch eines Willenskranken. Ausgewählte Werke in zwei Bänden, Bd. 2, S. 276 (Zürich: Ex Libris o.J.)
3 Robert Musil, Der Mann ohne Eigenschaften, S. 154

Lebenshungrigen nährt sie auf die Dauer nicht. Reinhart der Maler hat es erfahren. Ihm wird seine erste bürgerliche Stelle zur Marter:

> "Schlag acht Uhr kamen sie jedesmal aus dem Lift, hängten ihre Mäntel an den Haken . . . und setzten sich wieder an ihre Arbeit, an ihre Reissbretter oder Schreibmaschinen, gehorsam, gewissenhaft wie ein Milchwagenross, das seine tägliche Strecke kennt, noch wenn man ihm den Kopf abschlagen würde! . . . Das ist die grosse Galeere." (Schw 146)

Auch Kilian möchte sich der Herrschaft der Uhr entziehen, möchte ausscheren aus dem reglementierten Alltag, der trotz schwitzender Emsigkeit einförmig und unfruchtbar bleibt. Er wählt den Traumweg nach Peking. Blaue Vögel, kreisend über blühendem Lotos (Bin 15), und herrliche Menschen (Bin 82) künden von einem besseren Sein. Der Bericht des Gastes aus dem Abendland, wie man "drüben" lebe, erregt hier Entsetzen:

> "Wir nennen es die Wochentage. Das heisst, jeder Tag hat seine Nummer und seinen Namen, und am siebenten Tage, plötzlich, läuten die Glocken; dann muss man spazieren und ausruhen, damit man wieder von vorne beginnen kann, denn immer wieder ist es Montag –" (Bin 83)

Solchem Alptraum der Ausweglosigkeit stellt sich der Tagtraum mit seinen lichteren Inhalten entgegen. Fast sieht es aus, als wolle nur er noch einen Vor-Schein dessen gewähren, was Schiller gänzlich ins Reich der Träume verwies: der Freiheit[4].
Aber nicht jeder ist ein liebenswürdiger und begabter Träumer wie das Erzähler-Ich im 'Bin'. Manchem rückt eine erstarrte Ordnung derart bedrängend auf den Leib, dass sie zum Äussersten greifen: zur Axt. Frisch geht einig mit General Stumm von Bordwehrs Ansicht, "dass durch irgendeinen unaussprechlichen Zusammenhang Ordnung zu einem Bedürfnis nach Totschlag"[5] führen kann.

---

4 "Freiheit ist nur in dem Reich der Träume." Vgl. das Gedicht 'Der Antritt des neuen Jahrhunderts', Schillers sämtliche Werke in 12 Bänden, Erster Band, S. 279 (Stuttgart: Cotta'sche Buchhandlung o.J.)
5 Musil, a.a.O., S. 521

Nur ist für ihn dieser Zusammenhang nicht mehr so unaussprechlich. Was heisst denn "Ordnung"? Ordnung gibt sich als das Verbindliche, Dauernde, Definitive, ist ein Mittel zu Zähmung aller ausgreifenden, regellosen und freiheitlichen Instinkte, ein Joch nicht nur für den "Freigeist" à la Nietzsche[6], sondern auch für den scheinbar angepassten Bürger. Diesem allerdings dürfte der Zusammenhang zwischen der Ordnung, in der er lebt, und seinem Hang zur Gewalttätigkeit kaum bewusst sein. Frisch notiert im 'Tagebuch 1946—1949' ('Aus der Zeitung'):

> "Ein Mann, der als braver und getreuer Kassier schon zwei Drittel seines Daseins erledigt hat, erwacht in der Nacht, weil ein Bedürfnis ihn weckt; auf dem Rückweg erblickt er eine Axt, die aus einer Ecke blinkt, und erschlägt seine gesamte Familie, inbegriffen Grosseltern und Enkel; einen Grund für seine ungeheuerliche Tat, heisst es, könne der Täter nicht angeben; eine Unterschlagung liege nicht vor —." (TB I 70)

Zwei Seiten nach dieser lakonischen Notiz rückt Frisch die Szenenfolge 'Der Graf von Oederland' ein. Sie soll Licht werfen auf die schockierende Tatsache, dass ein bislang unbescholtener Mann plötzlich zum Verbrecher werden kann. Wenige Äusserungen des Mörders genügen, um den Leser auf die rechte Spur zu bringen: " — und überhaupt, wenn ich an die Bank denke, die ganze Organisation war musterhaft ... der Hauswart hatte einen Kalender, wo er eintrug, wann er die Flügeltüren zum letztenmal ölte. ... Da gab es keine girrende Türe und nichts. Das muss man sagen." (TB I 80)[7] Und weiter: "Sie haben keine Ahnung, lieber Doktor, wie vertraut mir der Anblick ist, wenn ich durch dieses Gitter schaue — Schnee ...[8] und immer diese fünf Stäbe davor! ... So war es auch auf der Bank, jeden Morgen —" (TB I 83)[9]

6 Nietzsche: "Deshalb hasst der Freigeist alle Gewöhnungen und Regeln, alles Dauernde und Definitive ..." (Menschliches, Allzumenschliches, Werke, ed. Schlechta, Bd. I, S. 659) Vgl. auch das zweite Hauptstück von 'Jenseits von Gut und Böse', betitelt 'Der freie Geist', Bd. II, S. 589ff.
7 Vgl. 'Graf Oederland', S I 270
8 Auf die Bedeutung des in Frischs Frühwerk immer wiederkehrenden Motivs des Schnees geht neben anderen auch Manfred Jurgensen ein. Er deutet den Schnee als "Sinnbild einer sich selbst begrabenden Ordnung" und als "Symbol der Anarchie". (Max Frisch. Die Dramen, S. 19)
9 Vgl. 'Graf Oederland', S I 273

Während der Verteidiger Doktor Hahn verständnislos bleibt, vermag der Oberrichter sich bis zur völligen Identifizierung in den Angeklagten einzufühlen. Durch dessen Tat erst scheint er seines eigenen bleiernen Missbehagens an der Alltagsmonotonie innegeworden zu sein und bricht nun seinerseits aus ihr aus. Er, der Hüter von Ordnung und Gesetz, wird zum anarchischen Monstrum, das im Zeichen der Axt andere Ausbruchswillige um sich schart und dem knechtischen Dasein einen Grabgesang singt:

> "Und es lebe ein jeder, der es versteht; lang ist die Nacht, kurz ist das Leben; verflucht ist die Hoffnung auf den Feierabend, heilig ist der Tag, und es lebe ein jeder, solang die Sonne scheint; herrlich ist er und frei . . ." (TB I 98)[10]

Wie schon im 'Bin' erscheint auch hier wieder der herrliche und freie Mensch als utopisches Gegenbild des durch eine lebensfeindliche Ordnung vergewaltigten, versklavten und verkümmerten Menschen.

Die Frage scheint angebracht, wie denn Frisch sich eine *lebbare* Ordnung vorstellt. Lebbare oder gar lebensfreundliche Ordnung — ist dies nicht eine Contradictio in adjecto? Schliessen Freiheit und Ordnung einander nicht aus? Im Stück 'Die Chinesische Mauer' sagt Hwang Ti, der Kaiser von China, er kämpfe "für die Grosse Ordnung, die wir nennen die Wahre Ordnung und die Glückliche Ordnung und die Endgültige Ordnung." (S I 163) Und er fügt noch hinzu: "Fürchtet euch nicht vor der Zukunft, meine Getreuen. Denn so, wie es ist, wird es bleiben. Wir werden jede Zukunft verhindern." (ebd.) Für Hwang Ti trifft zu, was der Chorführer in 'Biedermann und die Brandstifter' sagt: er ist ein Mensch, "Der die Verwandlungen scheut / Mehr als das Unheil" (S II 116).

Für Frisch ist jegliche Ordnung erstickend, die sich als endgültig und unwiderruflich setzt und alle Aussicht auf ein Anders-Werden-können verbaut. Lebbar, d.h. zumindest erträglich ist demnach allein eine *bewegliche,* der Entwicklung fähige und offene Ordnung. Nur wo das Sichere nicht sicher ist[11], wo vieles, ja alles sich

---

10 Vgl. 'Graf Oederland', S I 295
11 Vgl. Brechts Gedicht 'Lob der Dialektik' (Werkausgabe edition suhrkamp, Bd. 9, S. 467f.)

18

noch wenden kann, ist "Leben" im Sinne Frischs möglich. Dass es indessen — solange eine Ordnung irgendwelcher Art existiert — keine "absolute Freiheit", sondern immer nur "Unterschiede in der Unfreiheit" (Ö a P 13)[12] geben kann, weiss Frisch wohl und akzeptiert es mit Bedauern, als Erdenrest zu tragen peinlich.

Frischs politisches Engagement[13] gilt einer möglichst flexiblen Gesellschaftsordnung. Sein Kampf richtet sich daher in erster Linie gegen die Ideologie, die solche Flexibilität verhindert, indem sie das schlechte Vorhandene beglaubigt und stützt. Die Dogmen jeder Herkunft führen zu einem Stillstand des Denkens und zu gesellschaftlicher Stagnation. Nur hartnäckiges Fragen und Bezweifeln verhindert geistigen Tod. "Geist beginnt mit Fragen", schreibt Frisch. "Fragen ist vorerst eine Verweigerung gegenüber dem Bestehenden, das sich für die Antwort hält[14]." Schon im 'Tagebuch 1946—1949' beruft er sich auf das Ibsen-Wort: "Zu fragen bin ich da, nicht zu antworten" (TB I 140) und ergänzt: "Jede menschliche Antwort, sobald sie über die persönliche Antwort hinausgeht und sich eine allgemeine Gültigkeit anmasst, wird anfechtbar sein" (TB I 141). Die Scheu vor Antworten erklärt denn auch Frischs Tendenz, das Gegebene zu negieren, ohne das erwünschte Neue inhaltlich zu bestimmen[15].

Fest steht für ihn zunächst nur Eines: "So wie jetzt, geht es nicht[16]." Diese Haltung hat ihm immer wieder den Vorwurf eingebracht, er sei destruktiv, reisse nieder ohne aufzubauen. Frisch könnte mit Gottfried Keller entgegnen, man reisse durchaus nicht immer nieder, um wieder aufzubauen: "im Gegenteil, man reisst recht mit Fleiss nieder, um einen freien Raum für das Licht und die frische Luft der Welt zu gewinnen, welche von selbst überall da Platz nehmen, wo ein sperrender Gegenstand weggenommen ist[17]."

12 Vgl. TB I 202
13 Vgl. dazu das informative "Gespräch mit Max Frisch" von Peter André Bloch und Rudolf Bussmann. In: Der Schriftsteller in unserer Zeit, S. 17—35
14 Die grosse Devotion. In: Die Weltwoche, 12. Juli 1968, S. 13
15 Konkrete Vorschläge zur Tat liefert Frisch immerhin auf dem Gebiet der Architektur. Siehe z.B. die Streitschrift 'achtung: die schweiz'. Ein Gespräch über unsere Lage und ein Vorschlag zur Tat. Basel 1955
16 Dies der Titel seines Vorwortes zum 'Manifest 1971' der Sozialdemokratischen Partei der Schweiz, S. 3
17 Der grüne Heinrich (Erste Fassung), Sämtliche Werke, hg. v. Jonas Fränkel, Bd. 19, S. 46

Kehren wir nach diesem Exkurs, der antönen wollte, dass Frischs politische Einstellung verstanden werden kann als *ein* Aspekt seines universalen Missvergnügens an jedem Status quo, wieder vom Autor zum dichterischen Werk zurück. (Diese beiden Grössen streng voneinander zu isolieren, dürfte im Falle Max Frisch allerdings besonders schwerhalten. Die Tatsache, "dass er sein Persönliches, sein Privates in der Kunst nicht fallen lässt, dass er sich nicht überspringt, dass es ihm um sein Problem geht, nicht um ein Problem an sich"[18], legitimiert den Interpreten des Werks zu ständigen Seitenblicken auf dessen Urheber.)

Die Gestalt des Grafen Oederland liess Frisch nicht los. Der Tagebuch-Version folgte 1951 eine Bühnenfassung, in der sich die mangelnde Distanz des Autors zu seiner Figur gerade darin bekundet, dass diese sich von jenem emanzipiert, ihm derart über den Kopf wächst, dass er sich ihrer entledigen muss: "Selbstmord aus Verlegenheit des Verfassers", wie Frisch selbst bekennt[19]. In der Neufassung 1961[20] geht er mit dem ausbrechenden Staatsanwalt härter ins Gericht: nicht Selbstmord, sondern Machtergreifung, "um Ruhe und Ordnung wieder herzustellen" (S I 342), ist hier sein Los. Etwas beflissen tönt die Schlussmoral: "Wer, um frei zu sein, die Macht stürzt, übernimmt das Gegenteil der Freiheit, die Macht . . ." (S I 243) — was zwar historisch belegt werden kann, sich aber als Quintessenz eines im Grundtenor so unverkennbar gesellschaftskritischen Stücks eher befremdlich ausnimmt. Die Welt *so* wohnlich und ihre Ordnung *so* human zu machen, dass es keine Öderlands mehr geben müsste, wäre wohl ein Imperativ, der sowohl dem Stück als auch dem Autor gemässer wäre als die allzu triviale Warnung vor der Axt.

Aus seinem Verständnis für oederlandische Regungen hat Frisch indessen nie ein Hehl gemacht. Im 'Tagebuch 1966—1971' lesen wir:

"Brandstiftung in der Telefon-Zentrale Hottingen. . . . Der Täter . . . scheint mit seiner Tat zufrieden; ein erstes

---

18 Friedrich Dürrenmatt, Theater-Schriften und Reden, S. 262f.
19 Werkbericht im Programmheft des Berliner Schiller-Theaters, zit. nach Gody Suter, Graf Oederland mit der Axt in der Hand. In: Über Max Frisch, S. 113f.
20 Eine Fassung 1956 wurde in Frankfurt gespielt, aber nicht veröffentlicht. Vgl. 'Daten zu Graf Oederland', S I 354

psychiatrisches Gutachten schildert ihn als bisher ordentlichen Mechaniker, als älteren Familienvater, als kontaktarm. Er gesteht, dass seine Arbeit ihn anödete; . . . Eine Erwägung, ob die bestehenden Arbeitsverhältnisse zumutbar sind oder vielleicht nicht, gehört nicht in das psychiatrische Gutachten . . ." (TB II 215f.)

Es bedarf keiner Erläuterung mehr, warum Frisch gerade dieses Tagesereignis für erwähnenswert hält. Ein ordentlicher Mann bricht jählings aus der Ordnung aus — klang dieses Thema nicht schon fünfundzwanzig Jahre fruher an, in Frischs dramatischem Erstling 'Santa Cruz'? Dort wird ein Rittmeister, häuslich im Umgrenzten eines Schlosses, bekannt und geachtet als "Mann der Ordnung" (S I 13), heimgesucht vom Dämon Langeweile. Seinem Schreiber, der ihm das Tagebuch bringt mit den Worten: "Euer Gnaden, noch die ganze Woche ist leer" (S I 20), gibt er müde zu bedenken:

"Was erlebt schon unsereiner in einer Woche? Die Tage werden kürzer, Pflichten wie Schnee, nicht einmal reiten, nicht einmal das Abenteuerchen einer Hasenjagd . . . Sonntag, am soundsovielten, Geburtstag meiner lieben Frau, wir haben eine Gans gegessen, wunderbar . . . ferner: Habe meinen Pferdeburschen entlassen . . . ferner: Ordnung muss sein . . ." (S I 20)

Was Wunder, dass in ihm der Entschluss reift, auf Ordnung, Schloss und Frau zu verzichten, dass er die Pferde schirren und die Koffer packen lässt und hinausfährt in Nacht und Schnee, vor Augen "das offene Meer" (S I 55), "das andere Leben" (ebd.), Santa Cruz und Hawaii.
Nun ist ein Schloss nicht nur ein prunkvolles Gebäude, sondern auch eine Vorrichtung zum Verschliessen einer Türe. Ausser dem Rittmeister leben noch andere Gestalten Frischs im Gefühl, irgendwie hinter Schloss und Riegel zu sein. Anatol Stiller ist es in Wirklichkeit. Er sitzt in einem Schweizer Untersuchungsgefängnis und schreibt in sein Heft: "Meine Zelle . . . ist klein wie alles in diesem Land, sauber, so dass man kaum atmen kann vor Hygiene,

und beklemmend gerade dadurch, dass alles recht, angemessen und genügend ist." (St 18) Dass Stiller sein Gefängnis gleichsam als Miniatur-Schweiz charakterisiert, lässt eine Vermutung aufkommen: Sollten Frischs Menschen die Schweiz überhaupt als engen Kerker empfinden? Ist es das "Unbehagen im Kleinstaat", das sie zur Flucht treibt? Fehlt es ihnen an Raum? Zweifellos sind manche von ihnen "verärgert über die Enge der Heimat" (Schw 71). Aber mit dieser Enge ist nicht die geographisch-quantitative Kleinheit unseres Staates gemeint, sondern die geistige, die man auch Kleinlichkeit nennt: Die Schweizer, sagt Stiller,

> "nennen es Mässigung, was mir auf die Nerven geht; überhaupt haben sie allerlei Wörter, um sich damit abzufinden, dass ihnen jede Grösse fehlt. Ob es gut ist, dass sie sich damit abfinden, weiss ich nicht. Verzicht auf das Wagnis, einmal zur Gewöhnung geworden, bedeutet im geistigen Bezirk ja immer den Tod ... und in der Tat ... finde ich, dass die schweizerische Atmosphäre heute etwas Lebloses hat, etwas Geistloses in dem Sinn, wie ein Mensch stets geistlos wird, wenn er nicht mehr das Vollkommene will." (St 323)

Stillers Kritik trifft sich genau mit jener seines Wesensverwandten Martin Stapfer in Zollingers 'Bohnenblust': "mitunter kommt mir die Vision eines Untergangs, weit entsetzlicher als dessen in Blut und Tränen: die Vision eines lautlosen Todes in Sterilität, Mechanismus, Phäakentum — vergraste Provinz abseits der Geschichte!"[21].
Aber weder Zollinger noch Frisch grollen dem Kleinstaat als solchem, im Gegenteil: "der Kleinstaat bietet — ich scheue mich vor dem Wort: Freiheit — einen grösstmöglichen Spielraum für persönliches Denken, weil der Kleinstaat, ohnmächtig wie er ist, kein Götze werden kann, dem der Einzelne sich zu opfern hat." (Ö a P 125) Darum bedeutet Karl Schmids Buchtitel 'Unbehagen im Kleinstaat' eine leichte Verfälschung des Tatbestandes. Nicht

---

21 Zollinger, Ges. Werke Bd. III, S. 252 (Vgl. auch: Die Grosse Unruhe, Ges. Werke Bd. II, S. 267f., ferner: Pfannenstiel, Ges. Werke Bd. III, S. 112ff.)

der Kleinstaat erweckt Unbehagen — Frisch selbst stellte das richtig —, sondern die "Stagnation, die auch im Kleinstaat nicht sein müsste" (Ö a P 126).

Nie fliehen Frischs Gestalten die spezifisch schweizerische Enge (selbst wo sie dies glauben), sondern sie entrinnen Verhältnissen und Ansprüchen, die sich überall ähneln, wo Menschen zusammen leben. Das Fluchtmotiv in der Literatur ist daher übernational, durchaus keine "typisch schweizerische Thematik"[22], wie Paul Nizon glaubt[23], der auch im Roman 'Stiller' nichts anderes sehen will als "das Gerichtsitzen über die Schweiz"[24]. Nach Nizons Ansicht reissen aber nicht nur die Helden unserer Literatur aus, sondern auch die Schriftsteller selbst fliehen ins Ausland, "um erst einmal zu leben, um Stoffe zu erleben. Flucht als Kompensation von Ereignislosigkeit und Stoffmangel[25]." Hätte Nizon Frischs Büchner-Rede gelesen, so würde er seine Ansicht wohl etwas vorsichtiger formuliert haben. Frisch nämlich schreibt: "Es ist eine alte Einsicht, daher nicht weiter auszuführen: dass Weltliteratur nie entsteht aus Flucht vor der eigenen Art sondern aus Darstellung der eignen Art." (Ö a P 49f.) Wie diese Darstellung auszusehen hat, schreibt niemand vor. Ob nun im Kleinstaat Schweiz ein Symbol menschlicher Ganzheit erblickt wird oder ob er sich eher dazu anbietet, "das Bild des defizienten, schwachen und ungenügenden Menschen zu tragen"[26], so oder so gilt Karl Schmids Feststellung: "Er [der Kleinstaat] verhilft Gottfried Keller und Jacob Burckhardt und Meinrad Inglin zur Verwirklichung, wie Conrad Ferdinand Meyer oder Jakob Schaffner oder Max Frisch ihre Wirklichkeit vornehmlich dadurch finden müssen, dass sie ihn negieren[27]."

22 Nizon, Diskurs in der Enge, S. 48
23 Man denke etwa an Ingeborg Bachmanns 'Das dreissigste Jahr'; Ernst Kreuders 'Die Unauffindbaren'; Pirandellos 'Mattia Pascal'; Giraudoux 'Die Abenteuer des Herrn Jérôme Bardini'.
24 Nizon, a.a.O., S. 54
25 Nizon, a.a.O., S. 48
26 Karl Schmid, Unbehagen im Kleinstaat, S. 117
27 ebd.

Der Mitmensch als Ärgernis

Der Andere ist der heimliche Tod meiner Möglichkeiten.

Jean-Paul Sartre, Das Sein und das Nichts

Die Wirklichkeit beschränkt. Das Beständige lähmt. "Alles Gewohnte zieht ein immer fester werdendes Netz von Spinneweben um uns zusammen[28]." Auf allzu vielem liegt der Mehltau des Endgültigen.

Gibt sich die Welt schon unbeweglich, so bleibt als Reservat das wandelbare 'Ich'. Ist jedes Ding "ein erstarrter Einzelfall seiner Möglichkeiten"[29], so soll wenigstens der Mensch widerruflich sein, elastisch, unbestimmt-bestimmbar, verwandlungsfähig und disponibel, nicht Niederschrift, sondern tastender Entwurf — kurz: "potentieller Mensch"[30]. Aber da ist immer ein Anderer, der wissen will, woran er ist. Dem Ich tritt ein Du entgegen, fragt nach dem Namen oder sagt gar: Ich kenne dich! Dieses 'Du' scheint meine Freiheit vollends zuschanden zu machen. Sie wird — eingeschränkt schon vom objektiven Geist oder Ungeist — nun auch vom konkreten Mitmenschen noch bedroht. Wohin man blickt: "Stäbe, Schranken, Gitter, Stäbe" (S I 281), wie es Graf Oederland zusammenfasst.

Und wieder meldet sich der Abwehr-Instinkt. Flucht auch hier, Rückzug vom Du. Denn Proteus darf nirgends heimisch sein, kann ein Proteus nur bleiben als ewiger Wandersmann — oder als Eremit. Liesse er sich irgendwo nieder unter Menschen, so legten sie ihn fest auf *ein* Gesicht und raubten ihm alle übrigen. Sie brauchen eine Handhabe, wollen im Bilde sein, wollen sich ein Bild machen können. Sie würden seine Identität feststellen, ihm eine Rolle zuweisen und ihm die Möglichkeit verbauen, alles zu sein oder nichts.

---

28 Nietzsche, Menschliches, Allzumenschliches I, Werke Bd. I, S. 659
29 Musil, a.a.O., S. 1369
30 Musil, a.a.O., S. 251

Das Individuum im Hader mit der "ärgerlichen Tatsache der Gesellschaft"[31], das Leiden des Menschen am Menschen — Max Frisch gestaltet es mit Beharrlichkeit und Eindringlichkeit.

Scheinbar harmlose Bemerkungen kündigen das Thema an. Jürg Reinhart gibt Inge seine Absicht bekannt, nach Konstantinopel zu fahren. Sie sagt zweimal: "Sie werden es nicht tun, Jürg, ich kenne Sie doch." (JR 110) Und dann heisst es: "Aber jetzt befällt ihn das Weinen, das er überkreischt: 'Nichts kennen Sie!' " (JR 111) Dass andere sie zu kennen glauben, empfinden Frischs feinnervige Helden als Anmassung und dreisten Zugriff. Das "Heimweh nach neuen Menschen, denen man selber noch einmal neu wäre" (Bin 10), treibt sie fort. "Warum reisen wir? Auch dies, damit wir Menschen begegnen, die nicht meinen, dass sie uns kennen ein für allemal; damit wir noch einmal erfahren, was uns in diesem Leben möglich sei —" (TB 132)[32]

Stiller soll in seinem Gefängnis mit Julika konfrontiert werden, der Dame, die vorgibt, seine Gattin zu sein. Er warnt vor seiner Sinnlichkeit und Hemmungslosigkeit. Doch der Verteidiger erklärt, die Dame bestehe trotzdem darauf, ihn unter vier Augen zu sprechen: "Sie ist überzeugt, ihren Mann etwas besser zu kennen, als er sich selber kennt, und von Hemmungslosigkeit . . . könne nicht die Rede sein" (St 63).

Dorli wiederum, "dieses Erzweib" (S II 152), traut ihrem Philipp nicht zu, dass er die Wohnung zertrümmern und in die Fremdenlegion gehen könnte: "Das wirst du nicht tun, Philipp, ich kenne dich!" (S II 166)

Nun sollte man meinen, ein überlegener Mensch würde achselzuckend seiner Wege gehn und weise lächelnd oder — wie Danton — müde-resigniert sagen: "Ja, was man so kennen heisst[33]." Frischs Menschen aber sind alles andere als souverän. Nichts kann sie gröber kränken, nichts massloser erbittern als die Behauptung, man kenne sie. Sie wird empfunden als Attentat auf ihre Person, als Frevel an ihrer Freiheit.

31 Den Ausdruck prägte Ralf Dahrendorf in seinem Essay 'Homo Soziologicus', S. 17 (Opladen: Westdeutscher Verlag, 10. Aufl. 1971)
32 Vgl. Schw 90
33 Georg Büchner, Dantons Tod, (Anfang des 1. Aktes) Sämtliche Werke, hg. v. H. J. Meinerts, Mohn Verlag 1963, S. 41

Max Frisch teilt diesen Protest. Er ist der Ansicht, dass alles Kennen ein Verkennen sei. Er beruft sich auf das zweite Gebot des Dekalogs "Du sollst dir kein Bildnis machen"[34], setzt aber an die Stelle Gottes den Menschen, richtiger: das Göttliche im Menschen, "das Lebendige in jedem Menschen, das, was nicht erfassbar ist" (TB I 137). Jede Vorstellung, jedes Bild verkennt das "Geheimnis" und das "erregende Rätsel" (TB I 132) Mensch. Hier liesse sich einwenden: Wenn der Mensch wirklich ein unfassbares Geheimnis ist, wenn dies — kantisch gesprochen — eine kategorische Aussage ist und nicht lediglich ein Postulat der praktischen Vernunft, dann ist nicht einzusehen, warum das Individuum sich angefochten fühlt durch das Bild, das andere sich von ihm machen. Wie unzutreffend und verzerrt es auch immer sein mag — das Geheimnis bleibt. Ich bin, der ich bin . . .

Wir gehen kaum fehl in der Annahme, dass Frisch unter 'Geheimnis' auch jene Allseitigkeit des Menschen versteht, von der schon die Rede war, die Formbarkeit oder "plastische Kraft", die Nietzsche bestimmt als "jene Kraft, aus sich heraus eigenartig zu wachsen"[35]. Jürg Reinhart schreibt in einem Brief:

> "Sehen Sie: wenn ich ringsum von fertigen Menschen gestossen werde, wenn ich sozusagen von Hand zu Hand gereicht werde und mich jedermann formen kann nach seinem Bilde, so zerbröckelt man schliesslich. Jetzt bin ich wieder allein; das bedeutet: man hat Raum, um nach seiner eigenen Anlage heranzuwachsen." (JR 121)

Diese Sätze sind aufschlussreich und programmatisch. Jürg sieht das Verhältnis Individuum—Gesellschaft unter einem Blickwinkel, der in Frischs Werk fortan als der einzig mögliche und alleinherrschende erscheinen wird. Vom hier zitierten Passus führt ein schnurgerader Weg zum zwanzig Jahre später geschriebenen

---

34 Dass das Mosaische Gebot mit 'Bildnis' nur die *bildliche Darstellung* ('gegossene Götter'), nicht aber die *Vorstellung* (Bewusstseinsbild) meint, sei nur nebenbei bemerkt. Vgl. hierzu Pierre Jaccards Aufsatz 'Das Verbot bildlicher Darstellungen im alten Judentum und im Islam. In: Kölner Zeitschrift f. Soziologie u. Sozialpsychologie, 21. Jg. 1969, S. 453ff.
35 Nietzsche, Vom Nutzen und Nachteil der Historie für das Leben (Zweite unzeitgemässe Betrachtung), Werke Bd. I, S. 213

Schlussatz: "Stiller blieb in Glion und lebte allein" (St 577), oder zum dreissig Jahre später formulierten Gantenbein-Ideal: "Abzuschwimmen ohne Geschichte." (G 495)
Jürg also glaubt sich gefährdet durch den Umgang mit Menschen. Sie tragen etwas an ihn heran und in ihn hinein, das er als ihm fremd und unzugehörig empfindet. Er fasst sich auf als unbeschriebenes Blatt, auf dem die andern ihre fremde Handschrift anbringen, ihm so den Raum für eigene Schriftproben raubend. Oder, wieder bildlich gesprochen: Er sieht sich als noch ungeformten Marmor, den fremde Hände meisseln, wo er doch eigner Formgebung bedürftig ist, sein eigner Bildner zu sein den stolzen Anspruch erhebt[36]. Einzig der Rückzug ins Alleinsein garantiert ihm die erstrebte Unberührbarkeit und Autarkie, verschafft ihm den erforderlichen Raum, sich gleichsam selber auszuzeugen, heranzuwachsen nach seiner eigenen Anlage. "Durch den Umgang mit sich selbst wird das Individuum mit sich selbst befruchtet und gebiert sich selbst[37]." Freudig würde Jürg Reinhart dieser Kierkegaard'schen These zugestimmt haben! Die Selbstbildung bedarf des Andern nicht. Der Einzelne kommt zu sich nur als Einzelner. In der Isolation nur bewahrt er sein 'Wesentliches' und 'Eigentliches', glaubt er sich vor aller Entfremdung gefeit. Gesellschaftlicher Umgang hiesse Selbstentäuschung, hiesse Dasein "in der Weise der Unselbständigkeit und Uneigentlichkeit"[38], wie Heidegger sagt, dessen Lehre von der "Verfallenheit im deficienten Modus des Man" — laut einem Worte Helmuth Plessners — "der deutschen Innerlichkeit aus der Seele gesprochen"[39] ist. Mit "Innerlichkeit", verstanden eben als "Restriktion der humanen Existenz in eine Privatsphäre"[40], liesse sich in der Tat sowohl Jürg Reinharts als auch Anatol Stillers Wesen treffend charakterisieren. Beide verschliessen sich der Einsicht, dass es kein Ich gibt ohne Du, keine

---

36 Ulrich Weisstein nennt den 'Jürg Reinhart' einen "Bildungsroman" (Max Frisch, S. 28). Doch in keinem Bildungsroman will der Held sich der Formung durch die personale Umwelt entziehen, in keinem schliessen sich Welt und entelechische Entfaltung aus.
37 Sören Kierkegaard, Entweder-Oder II, Ges. Werke Bd. 2, S. 222
38 Martin Heidegger, Sein und Zeit, S. 128
39 Helmuth Plessner, Soziale Rolle und menschliche Natur. In: Erkenntnis und Verantwortung, Festschrift für Theodor Litt, S. 114
40 Theodor W. Adorno, Kierkegaard. Konstruktion des Aesthetischen, S. 87

Subjektivität jenseits des Sozialen, kein Individuum, das nicht geformt wäre nach dem Bilde anderer. Ein pures, un-bedingtes Durch-sich-sein, das zu seiner Essenz keines andern bedürfte, gibt es nicht, ist vorstellbar nur als Homunkulus – oder als Gott. "Wirkliches 'Ich' bin ich nur als mögliches Du eines andern; in der reinen Beziehung auf mich selbst bin ich ein Pascal'sches 'moi'[41]." Die konsequenteste Form des Rückzugs von den andern ist der Selbstmord. In ihm, sagt Karl Löwith, "stellt sich der Mensch völlig auf sich selbst und nimmt sich einer wirklich selbst in die Hand, ohne Rücksicht auf irgendwelche andern, die er von der Hand weist"[42]. Es erstaunt nicht, dass Jürg Reinhart[43] diese extremste Möglichkeit verwirklicht. Er löscht sich selber aus, und seine Tat ist Ausdruck und Folge eines misslungenen Verhältnisses zu den Mitmenschen[44].

Frisch schreibt im 'Tagebuch 1946–1949':

> "In gewissem Grad sind wir wirklich das Wesen, das die andern in uns hineinsehen, Freunde wie Feinde. Und umgekehrt! auch wir sind die Verfasser der andern; wir sind auf eine heimliche und unentrinnbare Weise verantwortlich für das Gesicht, das sie uns zeigen, verantwortlich nicht für ihre Anlage, aber für die Ausschöpfung dieser Anlage." (TB I 33)

Frisch sieht also durchaus, dass es das ab-solute Individuum nicht gibt, dass die Menschen sich gegenseitig formen. Insofern scheinen wir offene Türen eingerannt zu haben. Entscheidend ist indessen, dass Frisch diesen Sachverhalt eindeutig *negativ* wertet, als Skandalon, als "Zeichen von Nicht-Liebe" (St 161), als "Versündigung" (TB I 37), dass er mithin verbieten möchte, was unabdingbar zur Conditio humana gehört. In seinem Werk scheitern nahezu alle zwischenmenschlichen Beziehungen. Stets wird dieses Schei-

---

41 Karl Löwith, Das Individuum in der Rolle des Mitmenschen, S. 132 (Löwith referiert hier den Grundgedanken von Ferdinand Ebners Du-Theorie.)
42 a.a.O., S. 173f.
43 Gemeint ist der Jürg Reinhart des Romans 'Die Schwierigen oder j'adore ce qui me brûle', der eine Art Fortsetzung des 'Jürg Reinhart' von 1934 ist. (Erstausgabe mit komprimiertem 'Reinhart' als 1. Kapitel 1943, Neuausgabe ohne 1. Kap. 1957)
44 Gleiches gilt für Stillers Selbstmordversuch.

tern erklärt als Folge der unseligen Gewohnheit, sich voneinander Bildnisse zu machen. Gläubig schliessen sich die Interpreten dieser Erklärung an und bringen Max Frisch in den Ruf eines Moralisten. Demgegenüber sei hier eine andere Deutung erwogen: Es wäre denkbar, dass für das Scheitern der menschlichen Beziehungen nicht das Übertreten des Bildnis-Verbotes verantwortlich ist, sondern die Weigerung, sich vom Anderen *bilden* zu lassen und kennen zu lassen. Der Rekurs auf das 'Individuum ineffabile' ist zweifellos ehrenwert, kann aber allzuleicht zum Vorwand dessen werden, der sich überhaupt nirgends behaften lassen will, der namenlos, eigenschaftslos und unerkannt wie das Einhorn im Walde umherwandeln möchte, weil er vielleicht wie Musils Ulrich in einem "Charakter" oder einer "festen Wesensart" schon das Gerippe sieht, das zuletzt von ihm übrig bleiben soll[45]. Gehören Frischs Gestalten nicht genau zu diesem proteischen Typus, der sich scheut vor allem Verfestigten, Endgültigen, Endlichen? Wir zögern nicht, auch das Bildnis-Verbot in diesen Zusammenhang zu stellen, es zu verstehen als Ausfluss einer tiefen Angst, geprägt, bestimmt und verendlicht zu werden. Diese Angst ist es, die vom Andern wegtreibt und jedes Verhältnis abwürgt, abwürgen muss. Wer sich in vorläufiger Existenz alle Option offen halten will, wird sich hüten, an einem Du festzuhalten. Dies hiesse: sich selber festhalten, wie ja auch umgekehrt Theklas Wort gilt: "Wie du dir selbst getreu bleibst, bist dus mir[46]." Wo das Gestern immer schon lügt[47], da kann freilich nur Nietzsches Rat plausibel erscheinen: "Nicht an einer Person hängen bleiben: und sei sie die geliebteste — jede Person ist ein Gefängnis[48]." Ob Jürg Reinhart, Balz Leuthold oder Pelegrin, ob Don Juan, Stiller, Walter Faber, Philipp Hotz oder Ehrismann[49] — alle möchten sie diesen Rat des vollkommensten und rettungslosesten Ästheten, den die Geistesgeschichte kennt[50], beherzigen. Und alle neigen sie dazu, Don Juans

45 Musil, a.a.O., S. 250
46 Schiller, Wallensteins Tod, 3. Aufzug, 21. Auftritt (Thekla zu Max Piccolomini)
47 Vgl. Hofmannsthals 'Gestern'
48 Jenseits von Gut und Böse, Werke Bd. II, S. 604
49 Hauptfigur in 'Zürich-Transit', Skizze eines Films.
50 So Thomas Mann, Nietzsches Philosophie im Lichte unserer Erfahrung. In: Schriften und Reden zur Literatur, Kunst und Philosophie, Bd. 3, S. 45 (Fischer Taschenbuchausgabe des essayistischen Werks, Frankf. a.M. 1968)

Empörung zu teilen: "Welche Ungeheuerlichkeit, dass der Mensch allein nicht das Ganze ist!" (S II 76) Mit Recht also sagt Walter Jens von den Menschen Frischs: "Leben (das heisst für sie: allein sein)"[51] — eine Aussage, die durch Joachim Kaiser noch bestätigt wird: "Leben, das heisst für sie ... undefiniert sein[52]."

Es sei darauf verzichtet, einen Katalog all jener Beziehungen, Bindungen und Ehen aufzustellen, welche misslingen. Statt dessen fragen wir nach Ausnahmen. Ist der totale Verlust jeglicher Kommunikation, der in Stillers entsetzlichem Bekenntnis gipfelt: "Ich habe keinen fremderen Menschen als diese [meine] Frau!" (St 564) — ist dieser Verlust nicht die ausnahmslose Regel? Stellt Frisch irgendwo ein intaktes Verhältnis dar, gar so etwas wie Liebe? Oder gilt Jürgen Schröders Behauptung: "Alle Werke Frischs handeln von der Abwesenheit der Liebe[53]"? Eine Antwort gibt das Stück 'Als der Krieg zu Ende war'. In Berlin, Mai 1945, begegnen sich Agnes, eine deutsche Frau, und Stepan, ein russischer Oberst, der mit einigen Offizieren ihr requiriertes Haus bewohnt. Obwohl die beiden sich sprachlich nicht verständigen können, kommt es zwischen ihnen zu einer Liebe von grosser Intensität. Richtiger: *Weil* sie sich sprachlich nicht verständigen können, verstehen sie einander. Auf dieses 'Weil' zielt die Bemerkung in Frischs Tagebuch: "Das ungeheure Paradoxon, dass man sich ohne Sprache näher kommt." (TB I 220) Wo Sprache wegfällt, scheint Kommunikation möglich. Wie das? Die Sprache ist ein Medium, mittels dessen wir Bilder entwerfen. Wie schnell ist mit Worten der Mitmensch *gezeichnet*, bepfählt, festgelegt. Und wie schnell legt sich fest, wer selber spricht: er wird gnadenlos beim Wort genommen. Das engt ein, stösst ab und macht nach Frisch eine lebendige Beziehung unmöglich. Sie kann nur dort gedeihen, wo das Bildnisverbot respektiert wird.

Wieder wären Bedenken anzumelden. Gehört zur Liebe nicht auch die Sprache, auch wenn sie nicht — wie Ludwig Binswanger zeigt —

51 Jens, Max Frisch und der homo faber. In: Max Frisch — Beiträge zu einer Wirkungsgeschichte, S. 64
52 Kaiser, Max Frisch und der Roman. Konsequenzen eines Bildersturms. In: Über Max Frisch, S. 44
53 Schröder, Spiel mit dem Lebenslauf. Das Drama Max Frischs. In: Neumann, Schröder, Karnick: Dürrenmatt, Frisch, Weiss, S. 95

deren eigentlicher Ausdruck ist[54]? Ist Liebe jemals so transmundan, dass sie des "Daseinskleides, wie die Sprache eines darstellt"[55], entraten könnte? Kommt man sich wirklich näher ohne Sprache? Karl Löwith gibt sich hier weniger mystisch: "Wenn aber der eine des andern Sprache nicht beherrscht, dann kommen sie einander auch gar nicht nahe; als Menschen von verschiedener Sprache können sie nicht wirklich *mit*-einander, sondern nur beisammen sein[56]." Würde das zutreffen, so gäbe es auch keine sprachlose und somit 'bildlose' Liebe. Nach Binswanger gehört es aber gerade zum Wesen der Liebe, dass sie sich kein Bild macht, oder, um in seiner Terminologie zu bleiben: dass sie das Du nicht 'bei irgend etwas nimmt'[57]. Aber Binswanger spricht nicht von der weltlichen Geschichte der Liebe, sondern von ihrem anthropologischen Wesen[58]. In ihren weltlichen Erscheinungsformen bleibt sie stets angewiesen auf den Mitseinsmodus des 'Nehmens-bei', der übrigens bei Binswanger im Gegensatz zu Frisch keinerlei Abwertung erfährt, sondern – z.B. als das Nehmen beim Wort – gewürdigt wird als Voraussetzung jeglicher Verantwortlichkeit: "Das Nehmen beim Wort als solches bezeichnet die Umgangssprache als *Behaften* oder *Binden,* das Sich-beim-Wort-nehmen-lassen, die Tat der Zustimmung, als Sich-*Binden* oder Sich-*haftbar*-machen-lassen[59]." (Von hier aus fällt hellstes Licht auf den Zusammenhang von Bindungsangst und Sprachskepsis.)
Jedes verbindliche Miteinander, will es Bestand haben und sich nicht weihevoll beschränken auf ein paar Tage oder Wochen der Entrückung, bleibt darauf angewiesen, sich in irgendeiner Form festzulegen, zu de-finieren, zu verendlichen. Der "Versündigung", sich vom andern ein Bild zu machen, kann der Mensch nie und nirgends entgehen, ob er auch möchte[60].

---

54 Binswanger, Grundformen und Erkenntnis menschlichen Daseins, S. 80
55 Binswanger, a.a.O., S. 197
56 Löwith, a.a.O., S. 104
57 Binswanger, a.a.O., z.B. S. 272f., 306
58 Binswanger, a.a.O., S. 83
59 Binswanger, a.a.O., S. 324, vgl. auch S. 354
60 Vgl. hierzu: Ernst Cassirer, Philosophie der symbolischen Formen, Erster Teil: Die Sprache, S. 50f. Siehe auch Monika Wintsch-Spiess, Zum Problem der Identität im Werk Max Frischs, v.a. S. 93 (ähnliche Auffassung des Problems)
und ferner: Max Gassmann, Leitmotive der Jugend, v.a. S. 100f. (Gassmann durchschaut die sprachlose Liebe als romantische Fiktion.)

Ein zweites Beispiel einer unbeschädigten Beziehung im Werke Frischs findet sich im Roman 'Mein Name sei Gantenbein'. Lila und Gantenbein sind nahezu ein Musterpaar. Zumindest darf man vertreten: sie leben in einem erfreulich guten Einvernehmen. Er wisse, dass er "der glücklichste Liebhaber" (G 129) sei, erklärt Gantenbein, und auch Lila sei "glücklich wie noch nie mit einem Mann, ... ihre Liebe ist wahr, ich fühl's" (G 129)[61]. Kurzum: "Wir sind glücklich wie kaum ein Paar." (G 125) Solche Bekenntnisse hört man sonst nicht aus dem Munde von Frischs Figuren. Worauf ist dies seltene Glück zurückzuführen? Auf Gantenbeins Usurpation der Blindenrolle. Er stellt sich blind, und — was entscheidend ist — Lila zweifelt nicht an seiner Blindheit (vgl. G 463) und lebt im Glauben, er könne sich von ihr kein Bild machen. Sie fühlt sich der ständigen und bedrückenden Sorge enthoben, durch Blicke gemustert, geprüft, taxiert und fixiert zu werden. Sie bewahrt — mit Sartre zu sprechen — ihre Transzendenz, das heisst das Vermögen, ihr faktisches Sein immer wieder neu zu übersteigen. Sartre: "Ich ergreife den Blick des Andern ... als eine Verhärtung und Entfremdung meiner eigenen Möglichkeiten[62]." Von solch medusenhaft versteinerndem Blick darf Lila sich frei wähnen. Ihr Eheglück wird so lange dauern, als Gantenbein an seiner Rolle festhält, "die darin besteht, dass er glaubt" (G 129). Solange er trotz unverminderter Sehkraft bereit ist, das zu glauben, was Lila ihm zu glauben nahelegt, wird nichts die Harmonie gefährden.

Wurde bei Agnes und Stepan Liebe möglich dank dem Fehlen einer Sprache, so stiftet bei Gantenbein und Lila das (vermeintliche) Fehlen des Gesichtssinns die Eintracht. Hier fällt ein Organ der Wahrnehmung aus, dort ein Organ der Verständigung. Und beides erweist sich für die Beziehung zweier Menschen als segensreich — eine Erfahrung, die bereits Lessing zu einem (allerdings ironischen) Kommentar bewog. Er beschreibt in einem Gedicht das rare Beispiel einer mustergültigen Ehe und schliesst es mit den folgenden Strophen:

61 Vgl. dagegen die etwas fragwürdige Einschätzung des Verhältnisses Gantenbein – Lila bei Hans Jürgen Baden, Der Mensch ohne Partner. Das Menschenbild in den Romanen von Max Frisch, S. 15
62 Sartre, Das Sein und das Nichts, S. 350 (Dt. Ausgabe, Hamburg: Rowohlt 1962)

Und gleichwohl war die Frau kein Engel,
Und der Gemahl kein Heiliger;
Es hatte jedes seine Mängel.
Denn niemand ist von allen leer.

Doch sollte mich ein Spötter fragen,
Wie diese Wunder möglich sind?
Der lasse sich zur Antwort sagen:
Der Mann war taub, die Frau war blind[63].

Wir halten nochmals die beiden Momente fest, die wir in diesem ganzen Abschnitt zu verdeutlichen bemüht waren: Jeder Mensch wird geformt nach dem Bilde anderer. Selbst wenn er dies Bild verwirft, bleibt er ihm verhaftet. "Man wird das Gegenteil, aber man wird es durch den andern." (TB I 33) Der Mensch als Zoon politikon ist immer Produkt und Produzent der anderen. Wer diesen Vorgang durch ein Bildnis-Verbot unterbinden möchte, weil er in ihm eine Selbstentfremdung zu erblicken glaubt, verkennt völlig das menschliche Wesen und macht sich eines gefährlichen Autismus' verdächtig. Er übersieht die Chance, sich selbst mit den Augen der andern zu sehen, "in und an ihnen, wie an so viel Spiegeln"[64] über sich selbst deutlicher zu werden.
Als Zweites galt es zu zeigen, dass ein verbindliches Verhältnis zwischen Menschen nur zustandekommt, wenn einer den andern bei etwas nehmen kann. Darum muss es sich jeder Einzelne gefallen lassen, in gewisser Weise etikettiert, mit bestimmten Prädikaten ausgezeichnet zu werden, auf dass er erkennbar und haftbar werde, auf dass der Andere *im Bilde* sei, wen er vor sich hat. Das bedeutet abermals nicht Entfremdung, wohl aber Verendlichung. Offenbar ist sozialer Kontakt überhaupt nur möglich zwischen Trägern von mehr oder weniger fassbaren Eigenschaften oder Rollen[65]. Wer sich zu überhaupt keinen Eigenschaften

---

63 Lessing, Das Muster der Ehen, Werke in drei Bänden, Band 1, S. 972 (München: Winkler 1969)
64 Goethe, Bedeutendes Fördernis durch ein einziges geistreiches Wort. Goethes Werke, Hamburger Ausgabe Bd. 13, S. 38 (Hamburg: Wegner 4. Aufl. 1962)
65 Vgl. Helmuth Plessner, Das Problem der Öffentlichkeit und die Idee der Entfremdung. In: Diesseits der Utopie, S. 19f.

bekennt und als pure Potenz genommen zu werden beansprucht, verliert nicht nur den Mitmenschen, sondern – wofern man Feuerbach zustimmen will – auch die eigene Existenz: "Alle reale Existenz, d.h. alle Existenz, die wirklich Existenz ist, die ist qualitative, bestimmte Existenz[66]."

(Tatsächlich werden ja manche Figuren in Frischs Werk früher oder später heimgesucht vom Gefühl, nicht wirklich existiert, das Leben versäumt zu haben. So äussert Balz Leuthold, immerhin dreissig Jahre alt, "er glaube nicht, dass er schon gelebt habe" (Ant 72), und hegt gar die Befürchtung, "am Ende werde man keinen Atemzug gelebt haben, keinen Atemzug" (Ant 73). Der ebenfalls dreissigjährige Jürg Reinhart fragt beklommen: "Wann fängt es denn an, das wirkliche, das sinnvolle, wesentliche Leben?" (Schw 150) Yvonne wiederum "kam es an, als wäre sie in dieser Welt noch niemals jung gewesen; geisterhaft stand ein verpfuschtes, ein gleichgültiges verpasstes und auf die Strasse geworfenes Dasein hinter ihr" (Schw 77)[67]. Und endlich Stiller: "Mein Leben ist ein einziges Versäumnis!" (St 229)

Für alle sie darf ein Stück weit gelten, was Richard Alewyn von Hofmannsthals Claudio sagt: "Darüber, dass er sich für das Mögliche freigehalten hat, anstatt das Wirkliche zu ergreifen, im Vorläufigen sich verzögert hat, anstatt den Sprung ins Endgültige zu wagen, findet er sich am Ende mit leeren Händen und einem verwarteten Leben[68].")

Alledem ist nun das Stück 'Andorra' entgegenzuhalten. Es demonstriert mit brutaler Deutlichkeit, wohin die Missachtung des Bildnis-Verbotes führen kann und scheint insofern all das Lügen zu strafen, was vorzubringen wir für richtig hielten. Doch die Bildnis-Problematik, die in 'Andorra' modellhaft abgehandelt wird, unterscheidet sich ganz wesentlich von derjenigen des übrigen

---

66 Ludwig Feuerbach, Das Wesen der Religion. Ausgewählte Texte zur Religionsphilosophie. Eingel. u. hg. v. Albert Esser. Hegner: Köln 1967, S. 100

67 Als flüchtiger Leser erweist sich Eduard Stäuble, der in seinem Frisch-Buch behauptet: "Immer sind es *die Frauen* bei Frisch, die ein ordentliches, gutes, warmes Leben leben: Yvonne und Hortense in 'J'adore ce qui me brûle' . . ." usw. (Stäuble, Max Frisch, S. 206)

68 Alewyn, Der Tod des Aestheten (Über Hofmannsthals 'Der Tor und der Tod') In: Interpretationen 2, Deutsche Dramen von Gryphius bis Brecht, S. 301 (Frankf. a.M.: Fischer Bücherei ² 1966)

Werks. Sehen wir näher zu! Andri ist ein 'Andorraner', fühlt sich anfänglich als 'Andorraner', gilt aber in den Augen seiner Landsleute fälschlicherweise als Jude. Und weil er als Jude gilt, erwarten sie von ihm gewisse Eigenschaften und Verhaltensweisen, die gemeinhin für typisch jüdisch gehalten werden. Nach und nach beugt Andri sich diesem Erwartungsdruck und konstatiert an sich selbst, dass er dem Fremdbild immer mehr entspricht. Schliesslich nimmt er sich als Jude an und hält — wie er die Wahrheit erfährt — an dieser seiner Identität fest bis zum bittern Ende. Alles andere (auch dieses Ende) hat mit dem Bildnis-Problem wenig mehr zu tun.

Erneut wird hier vorgeführt, wie der Einzelne sich nach dem Bilde anderer formt und richtet. Aber im Falle Andri ist das Bild völlig unabhängig von der Person: es existiert in verfestigter und verselbständigter Form schon *vor* ihm und auch *ohne* ihn — als geronnenes Klischee, als Vorurteil. Orientiert sich gewöhnlich (in steter Wechselwirkung) das Fremdbild am Selbstbild und umgekehrt, so besteht hier das Fremdbild gänzlich losgelöst von der Selbstauffassung des Individuums und stülpt sich diesem gewaltsam über. Das Bild, das Julika und die Umwelt von Stiller haben, stützt sich auf seine Vergangenheit, auf seinen Charakter — auch wenn er beides für ungültig erklären möchte. Auf jeden Fall steht es mit seiner Person in engem Zusammenhang und lässt sich von ihr nicht ablösen. Es trifft etwas von Stiller. Es richtet sich nach Merkmalen, die er zumindest einmal gehabt hat. All das gilt nicht für das Bild, das die Andorraner von Andri haben. Aufgrund der einen (falschen) Information 'Jude' pressen sie ihn von früh auf in ein bereitstehendes Verhaltenskorsett, das er tragen *muss,* will er psychisch nicht untergehen. Er hat — im Gegensatz zu Stiller — keine andere Wahl, als das zu sein, wofür sie ihn halten, denn er kann sich auf kein Selbst und auf keine Vergangenheit berufen. Er kann seine 'Rolle' nicht *spielen* — das setzte ein Selbst voraus, das sie spielt —, sondern er muss sie *sein.* In gewissem Sinne wird er tatsächlich Jude, nicht weil er ein 'jüdisches Verhalten' an den Tag legte, sondern weil, wie Sartre sagt, der Jude derjenige ist, den die anderen als solchen betrachten[69].

69 Sartre, Betrachtungen zur Judenfrage. In: Drei Essays, S. 143 (Frankf. a.M.: Ullstein 1961)

Es ist also klar zu unterscheiden zwischen dem Bild, das in einem Bezug zum je konkreten Einzelnen steht, und dem entindividualisierten Bild, das Vorurteil heisst. Dieses ist thematisiert in 'Andorra', jenes im übrigen Werk. Dieses verfehlt den Menschen, jenes macht menschlichen Umgang allererst möglich.

Verwünschte Vergangenheit

> 'Es war': Also heisst des Willens Zähneknirschen und einsamste Trübsal. Ohnmächtig gegen das, was getan ist − ist er allem Vergangenen ein böser Zuschauer.
>
> Nietzsche, Also sprach Zarathustra

Zur Bild-Metapher tritt in Frischs Werk die Rollen-Metapher. Beide bedingen einander wechselseitig. Verkörpert das 'Bild' die Erwartungen, Ansprüche und Zumutungen der Umwelt, so ist mit 'Rolle' das Verhalten des Einzelnen gemeint, sofern es sich nach dem Bilde der andern richtet. Der Aufstand gegen das Bildnis und die Ablehnung der Rolle sind eins.
Zu Beginn des 'Stiller' lesen wir folgenden Satz:

> "Denn ohne Whisky, ich hab's ja erfahren, bin ich nicht ich selbst, sondern neige dazu, allen möglichen guten Einflüssen zu erliegen und eine Rolle zu spielen, die ihnen so passen möchte, die aber nichts mit mir zu tun hat, und da es jetzt ... einzig und allein darum geht, mich nicht beschwatzen zu lassen und auf der Hut zu sein gegenüber allen ihren freundlichen Versuchen, mich in eine fremde Haut zu stecken, unbestechlich zu sein bis zur Grobheit, ich sage: da es jetzt einzig und allein darum geht, niemand anders zu sein als der Mensch, der ich in Wahrheit leider bin, so werde ich nicht aufhören, nach Whisky zu schreien." (St 9)

Das Leitthema ist angeschlagen: Es geht im 'Stiller' um die behauptete Differenz zwischen "ich selbst" und "Rolle", zwischen dem Menschen, der ich "in Wahrheit" bin, und dem Menschen, als der ich gelte. (Die Spannung zwischen diesen beiden Polen ist auch

36

die Spannung des Romans.) Das "ich selbst" aber, auf das Stiller sich beruft, ist keineswegs bekannt. Auch für ihn nicht: "Wie soll einer denn beweisen können, wer er in Wirklichkeit ist? Ich kann's nicht. Weiss ich es denn selbst, wer ich bin? " (St 109) Stiller weiss vorderhand nur, wer und was er *nicht* ist: nämlich nicht jener, für den man ihn hält, nicht jener, dem die Rolle, die man jetzt *ihm* zuweist, vielleicht passen würde. Das "ich selbst" bestimmt sich negativ: "Ich bin nicht Stiller!" Wer oder was ist denn dieser Stiller, der nicht "ich selbst" ist? Allem Anschein nach eine Rolle. Wie aber kommt es dazu, dass die Umwelt die "Rolle Stiller" mit dem "ich selbst" in engsten Zusammenhang bringt, ja sogar verwechselt? Kein Zweifel: die "Rolle Stiller" ist nichts anderes, als das alte "ich selbst", welches vom neuen "ich selbst" verworfen und verleugnet wird. Beteuerte "Wahrheit" kontra Gewesenheit. Gegenwärtiges Ich kontra geschichtliches Ich. James Larkin White kontra Anatol Ludwig Stiller.

Der Name ist immer mehr als blosses Etikett. Nicht von ungefähr fühlte sich Goethe verletzt durch Herders Kalauer: "Der von Göttern du stammst, von Goten oder vom Kote", und notierte in 'Dichtung und Wahrheit': ". . . der Eigenname eines Menschen ist nicht etwa wie ein Mantel, der bloss um ihn her hängt und an dem man allenfalls noch zupfen und zerren kann, sondern ein vollkommen passendes Kleid, ja wie die Haut selbst ihm über und über angewachsen[70]." Besteht zwischen Name und Namenträger eine solch innige Einheit[71], dann kommt das Abwerfen des Namens einem Verwerfen der eigenen gewordenen Person gleich. Hierfür steht paradigmatisch der zum Paulus gewordene Saulus. Auch Stillers Namenwechsel soll auf eine tiefe Wandlung hindeuten und dokumentiert nichts anderes als die Generalannullierung seiner Vergangenheit. Genau Gleiches gilt für Jürg Reinhart: Er bricht mit dem alten Leben und beginnt als Diener Anton ein neues. Auf die enge Verknüpfung von Name und Existenz weist auch eine Stelle im 'Tagebuch Oederland'. Der Oberrichter zu Inge:

---

70 Dichtung und Wahrheit. Zweiter Teil. Zehntes Buch. Bd. VIII von Goethes Werken in 10 Bänden, Ex Libris: Zürich o.J., S. 447
71 Vgl. hierzu auch: Hans-Georg Gadamer, Wahrheit und Methode. Grundzüge einer philosophischen Hermeneutik. Tübingen: Mohr 2. Aufl. 1965, S. 383

"Wenn ich nur eines wüsste: —"
"Was denn? "
"Wie ich selber heisse . . ." (TB I 84)

Mit seiner bürgerlichen Existenz hat der Oberrichter auch seinen Namen abgestreift. Er hat seine Vergangenheit getilgt und wird so vorerst zum Niemand. Die Bühnenversion hebt das noch hervor; dort sagt der Staatsanwalt zu Inge: "– wenn ich bloss wüsste wer ich selbst bin." (S I 280) Das erinnert an den bereits zitierten Stiller-Satz: "Weiss ich es denn selbst, wer ich bin? " (St 109) Und es erinnert an Pirandellos Mattia Pascal, der sich ebenfalls seiner Vergangenheit entledigt, zum Adriano Meis wird, nach Jahren wieder zurückkehrt und das Fazit zieht: "Meine Frau ist die Frau Pominos, und wer ich bin, wüsste ich wahrlich nicht zu sagen[72]." Offenbar lässt sich die eigene Vergangenheit nur verleugnen — oder, im Falle Rip van Winkles: verschlafen[73] — um den Preis des Selbstverlustes. Denn dieses "Selbst", das da verloren wird, ist ja nichts anderes als eine Art Ablagerung dessen, was war. So stellt Bergson die rhetorische Frage: "was in der Tat sind wir und was ist unser Charakter, wenn nicht die Verdichtung jener Geschichte, die wir seit unserer Geburt . . . gelebt haben[74]? "

Im *Namen* aber schlägt sich eben diese Geschichte nieder: "Im Namen haben wir die innere und äussere Lebens-*Geschichte* eines Menschen, den Inbegriff dessen, was er erlitten, getan und geworden . . ."[75] — aber, was entscheidend ist: auch für andere und vor allem für andere steht ein Name für eine Vergangenheit; die Mitmenschen verbinden ihn mit der Lebensgeschichte oder doch mit dem, was sie von jemandem als geschichtlichem Wesen kennen und wissen. Spreche ich den Namen eines Menschen aus,

72 Luigi Pirandello, Mattia Pascal, Roman; Aus dem italienischen von Piero Rismondo. Frankf. a.M.: Fischer 1967, S. 267f.
73 Das Märchen von Rip van Winkle ist als "Parallelgeschichte" in den 'Stiller' eingelassen. (Vgl. Karlheinz Braun, Die epische Technik in Max Frischs 'Stiller', S. 106ff.) Schon der Rip van Winkle Washington Irvings, wahrscheinlich Frischs Vorlage, sagt: "ich bin vertauscht und kann nicht sagen, wie ich heisse und wer ich bin!" (Irving, Rip van Winkle, Zürich: Diogenes 1970, S. 50)
74 Henri Bergson, Schöpferische Entwicklung, S. 12 (zit. nach: Philipp Lersch, Aufbau der Person, München: Barth 11. Aufl. 1970, S. 47)
75 Binswanger, a.a.O., S. 333

so meine ich immer all das, "was man von ihm gehört hat, erzählt, weiss, erwartet, in welchem Gehört = Erzählt-bekommen-haben, Wissen und Erwarten eben sein 'historischer' Ruf besteht"[76]. Dies ist Stillers Not: wie ein Schatten begleitet ihn sein Name. Es ist fast wie im Grimmschen Märchen vom Hasen und vom Igel: wohin auch immer Stiller kommt — die Fama ist schon da.

"Mein Lieber", sagt Sturzenegger, "— du bist noch immer der alte!" (St 243) Und Stiller notiert:

> "Einmal mehr spüre ich etwas Unheimliches, eine Mechanik in den menschlichen Beziehungen, die, Bekanntschaft oder gar Freundschaft genannt, alles Lebendige sofort verunmöglicht, alles Gegenwärtige ausschliesst. . . . es funktioniert alles wie ein Automat: oben fällt der Name hinein, der vermeintliche, und unten kommt schon die dazugehörige Umgangsart heraus, fix und fertig, ready for use, das Klischee einer menschlichen Beziehung" (St 319).

So schmerzlich diese Erfahrung für Stiller sein mag, so sehr drückt sie nur aus, was jedem Menschen widerfährt, sofern er ein geschichtliches und somit ein gesellschaftliches Wesen ist. Er wird genommen und festgestellt als dieser oder jener, aufgrund seines Namens, seiner Geschichte. "Die Menschen begegnen einander immer im Modus des 'als', in einer bestimmten Personifikation[77]." Jeder trifft den andern "auf dem Umweg über die Rolle, genau wie der andere ihn"[78]. Diese prinzipielle Rollenhaftigkeit menschlichen Umgangs empfindet zumal jener als ärgerlich, der sein eigenes vergangenes Ich (d.i. die frühere Rolle) für null und nichtig erklärt. Darf Stiller es Julika und seinen Freunden verargen, dass sie sich vorerst an denjenigen Stiller halten, den er ihnen vor Jahren zurückgelassen hat? Darf er erwarten, als gesichts- und geschichtsloses Wesen betrachtet zu werden? Stiller selbst ist nicht unschuldig daran, dass männiglich in ihm den alten Stiller zu sehen

76 Binswanger, a.a.O., S. 333, vgl. auch S. 375ff.
77 Hans Peter Dreitzel, Die gesellschaftlichen Leiden und das Leiden an der Gesellschaft, S. 118 (Dreitzel gibt hier einen Kerngedanken Plessners wieder.)
78 Helmuth Plessner, Das Problem der Öffentlichkeit und die Idee der Entfremdung, a.a.O., S. 20

sucht: Erst seine hartnäckige Beteuerung, *nicht* Stiller zu sein, provoziert ja die Umwelt dazu, ihm auf alle erdenklichen Arten klar zu machen, dass er eben doch Stiller sei. Mit andern Worten: solange er von seiner Vergangenheit behauptet: "Es ist aber nie mein Leben gewesen" (St 317), kommt er von ihr nicht los. Dadurch, dass er sie (und damit sein Versagen und seine Schuld) nicht annimmt, gewinnt sie erst den Charakter der Unabänderlichkeit und wird gleichsam unerlösbar, wird zum "Stein, den er nicht wälzen kann"[79]. Mit viel Recht hat Werner Kohlschmidt darauf hingewiesen, Stiller liege "unter dem Niveau des Bewusstseins von Reue und Schuld"[80]. Dies könnte auch einen Hinweis darauf geben, warum er sich nicht im Sinne der (dem Roman vorangestellten) Kierkegaard-Motti selbst wählen kann. Der Anschlusssatz an das zweite Motto nämlich heisst bei Kierkegaard: "dieser Kampf um sich selbst, dieses Erwerben seiner selbst [vollzieht sich] in der Reue[81]." So darf man wohl sagen: Stiller kann kein neuer Mensch werden, solange er den alten verleugnet statt bereut. Reue und Wiedergeburt — Max Scheler hat das in Nachfolge Kierkegaards dargelegt — gehören zusammen:

> "Nicht die bereute Schuld, sondern nur die *un*bereute hat auf die Zukunft des Lebens jene determinierende und bindende Gewalt. Die Reue tötet den Lebensnerv der Schuld, dadurch sie fortwirkt. Sie stösst Motiv und Tat, die Tat mit ihrer Wurzel, aus dem Lebenszentrum der Person *heraus,* und sie macht damit den freien, spontanen Beginn, den jungfräulichen Anfang einer neuen Lebensreihe möglich, die nun aus dem Zentrum der eben vermöge des Reueaktes nicht länger mehr gebundenen Persönlichkeit hervorzubrechen vermag[82]."

Das Vergangene stellt manche Weichen für die Zukunft; nicht alle freilich, sonst gäbe es kein So-oder-anders-können mehr, aber genug, um den bösen Blick dessen auf sich zu ziehen, der zur

---

79 Nietzsche, Also sprach Zarathustra, Werke Bd. II, S. 394
80 Kohlschmidt, Das Menschenbild in der Dichtung, S. 191
81 Kierkegaard, Entweder-Oder II, Ges. Werke Bd. 2, S. 184 (vgl. auch S. 206 und S. 212)
82 Scheler, Vom Ewigen im Menschen, Francke: Bern 4. Aufl. 1954, S. 36

Gänze un-bedingt sein möchte. Dass es so etwas wie eine blanke Faktizität gibt, die sich nicht mehr aus der Welt schaffen lässt, ist schon verdriesslich genug. Dass diese Faktizität aber stets noch determinierend ins Heute hineinragt, macht sie vollends zum Ärgernis.

Auf zweierlei Arten kann einer versuchen, der bestimmenden Macht der Vergangenheit zu entgehen, um damit wieder verfügbar und frei für jegliche Zukunft zu werden. Er kann, wie Stiller, seine Lebensgeschichte en bloc annullieren, seiner eigenen Vergangenheit keinerlei Rechte auf die Gegenwart mehr einräumen und sich zum neuen Menschen ausrufen. Dieser Versuch bewirkt, wie wir sahen, gerade das Gegenteil von dem, was er will. Teils scheitert er am ungetrübten Gedächtnis der Mitmenschen, teils daran, dass der Hassende selbst stets ans Gehasste fixiert bleibt. Die Tatsache, dass dem jetzigen Ich sein damaliges Ich zum Problem werden kann, deutet auf genau jene Identitätsverbundenheit hin, die geleugnet wird.

Die zweite Art des Kampfes gegen eine determinierende Vergangenheit ist berühmter und verspricht mehr Erfolg. Sie besteht darin, an jedem Erlebnis sogleich die "Taufe der Vergessenheit"[83] zu vollziehen, alles zu vermeiden, was eine Folge haben könnte. Das aber heisst: punktuell leben, im Moment leben, *ästhetisch* leben. Kierkegaards Ethiker zum Ästhetiker: "du lebst immer nur im Moment; dein Leben zerfällt in zusammenhanglose Einzelerlebnisse, und es ist bei dir unmöglich, es zu erklären[84]." Jeder Erlebnisinhalt steht so abgeschlossen für sich selbst und hat keinerlei fortwirkende Kraft. Die gefürchtete Kontinuität ist aufgehoben. Es kommt zu keiner "Geschichte". Dies ist der Wunsch von Enderlin und Svobodas Gattin nach der gemeinsamen Nacht:

"Sie hatten einander versprochen, keine Briefe zu schreiben, nie, sie wollten keine Zukunft, das war ihr Schwur:
Keine Wiederholung —
Keine Geschichte —

---

83 Kierkegaard, Entweder-Oder I, Ges. Werke Bd. 1, S. 38
84 Kierkegaard, Entweder-Oder II, S. 150

Sie wollten, was nur einmal möglich ist:
das Jetzt . . ." (G 111)

Dies ist auch der Wunsch Antoinettes in der 'Biografie': "Ich will keine Geschichte." (S II 306) Und dies ist auch schon der Wunsch des Helden der Erzählung 'Antwort aus der Stille' — erschienen genau dreissig Jahre vor der 'Biografie':

> "Er würde nur wissen, dass sie morgen verreist, dass sie einander niemals wiedersehen werden nach diesem Abend, und das wäre ein Wissen, das ihre Herzen vielleicht freier machte, als sie es jemals waren, frei von allem Vergangenen, das auf uns lastet, und frei von aller Zukunft, die uns zögern lässt, ein Abend, der ganz und gar der Gegenwart gehörte, . . . ein Glück, das voll Abschied ist und niemals verflacht werden kann, niemals verwischt durch Wiederholung" (Ant 57f.).

Die Angst vor der Wiederholung, die auch Stiller teilt (vgl. St 88), lässt sich deuten als eine Ablehnung von Identität. Diese Deutung wird indirekt gestützt durch die psychopathologische Interpretation des "Wiederholungszwangs" als eines unbewussten Versuchs zur "Erhaltung von Identität"[85]. Eine Begebenheit oder Situation könnte ja gar nicht als Wiederholung empfunden werden, wenn das gegenwärtig erlebende Ich nicht identisch wäre mit demjenigen, das in der vergangenen Situation stand. Genau diese Identität fürchten, wie gezeigt, viele Frisch-Gestalten, da *sie* es verunmöglicht, jederzeit ein anderer zu sein, jederzeit "sich in etwas anderes umzudichten"[86].

Es sei gestattet, für einen Moment Frisch selbst ins Auge zu fassen. Immer wieder zeigt der Vergleich seiner auch zeitlich sehr entfernten Texte eine frappante Ähnlichkeit der Stoffe, Motive und Probleme. Immer wieder stossen wir auf Wiederholungen. (Wer den Schriftsteller Frisch nicht schätzt, wird dies verdrossen

85 Vgl. hierzu David J. De Levita, Der Begriff der Identität, S. 150 (Frankfurt a.M.: Suhrkamp 1971)
86 Kierkegaard, Entweder-Oder II, S. 185 (vgl. das erste Motto zum Stiller!)

oder gar mit hämischer Lust registrieren. Dem Liebhaber aber ergeht es so, wie es einem Liebhaber eben ergeht: bei jeder neuen Begegnung freut er sich darüber, unverwechselbare und geliebte Züge wiederzuentdecken.) Wir stehen also vor dem merkwürdigen Phänomen, dass der Schöpfer von Figuren, die ihre Vergangenheit unermüdlich befehden und Identität und Kontinuität fürchten, sich selbst über Dezennien hinweg treu bleibt und damit eine seltene Einheit und Stetigkeit seines Wesens bezeugt. Nur: er wäre ja nicht Max Frisch, würde er sich schlicht zu dieser Einheit und Selbsttreue bekennen. Von Horst Bienek gefragt, ob er sich schon einmal an einem radikal anderen Thema (als dem der verfehlten menschlichen Existenz) versucht habe, antwortete Frisch: "Das habe ich, natürlich. Ich will doch nicht ein Leben lang dieser Max Frisch sein!" (Bienek 30)

Unbegriffenes Hier-und-Jetzt

> Aber so ist das Glück des Menschen, er kann sich dessen nur freuen, wenn es aus der Ferne auf ihn zuwandelt; kömmt es ihm nahe und ergreift seine Hand, so schaudert er oft zusammen, als wenn er die Hand des Todes fasste.
>
> Ludwig Tieck, Franz Sternbalds Wanderungen

Sich unbelastet vom Gestern und unbekümmert ums Morgen niederzulassen auf der Schwelle des Heute — das allein scheint Glück zu verbürgen[87].

> " 'Ja', sagte er [Jürg] über das Geländer, 'Wenn man nur immer so leben könnte . . .'
> 'Wie? '
> 'Wie jetzt . . . ohne Vergangenes, ohne Zukunft, ohne Angst, ohne Zuversicht.' " (Schw 171)

Einzugehen in solch reine Gegenwart ist dem Menschen selten beschieden. Doch was ihn daran hindert, ist nicht immer nur die

---

87 Vgl. Nietzsche, Vom Nutzen und Nachteil der Historie für das Leben, Werke Bd. I, S. 212

Bürde des Vergangenen oder Künftigen, sondern, merkwürdig genug, gerade auch das Gegenwärtige selbst. Es ist, einmal eingetreten, so nah und scharf und eindeutig, dass es manchen schreckt. Zumal natürlich den Träumer, der gewohnt ist, vom "Zuckerbrot der Möglichkeit"[88] zu leben. Ihm ist die Gegenwart "gleichsam zu gegenwärtig"[89]. Sie ängstigt und ernüchtert ihn als das variantenlos Wirkliche, als das allzu Grelle und Greifbare: "Überhaupt war es schwer, wenn ein ersehnter Mensch schliesslich dasass in aller Wirklichkeit und Greifbarkeit. Das hatte immer etwas Einschränkendes, etwas Hemmendes" (JR 85). Wie anders in der Imagination, die sich hinwegsetzt über Endliches und keine Schranken kennt! Mit welch üppiger Phantasie hat Jürg Reinhart diese Begegnung durchgeträumt und alles Süsse schwelgerisch vorweggenommen. Und nun, da die ersehnte Hilde wirklich in seinen Armen liegt, gerinnt sie ihm zur "kleine[n] Gegenständlichkeit" (JR 94). "Es war so nichtig geworden in seiner Hand, so begrenzt. ... Irgendwie leichenähnlich dünkte es ihn, dass man einen geliebten Menschen halten kann." (JR 94) Jürg empfindet das Wirkliche, Körperliche, Gegen-ständliche bereits als etwas Totes, das an Endlichkeit gemahnt und die Einbildungskraft lähmt. Besitz hat noch keinen Romantiker gesättigt; die Frau aus Fleisch und Blut und andern Mängeln beflügelt nur mässig. "Wie kann auch nur das Himmelskind, wie ich es im Herzen trage, mein Weib werden?", fragt der Maler Reinhold in einer Erzählung E. T. A. Hoffmanns[90]. Ähnlichen Worten begegnen wir bei Albin Zollinger wieder. Die Figur des Wendelin, Nachfahre von Spittelers Viktor[91] und Vorfahre von Frischs Jürg Reinhart, tut sich ebenfalls in grosser Erfüllungsangst hervor. Es ist ihm undenkbar, dem geliebten Geschöpf mit der Absicht zu nahen, es in Besitz zu nehmen: "Mein Gott, was hätte dieses Mägdlein mit jenem verewigten zu tun, das ich inniger besitze, als irgendeine Frau mir

88 Kierkegaard, Entweder-Oder II, S. 30
89 Friedrich Schlegel, Lucinde, Reclam: Stuttgart 1964, S. 14
90 Meister Martin, der Küfner, und seine Gesellen. Bd. 7 der ausgewählten Werke in 7 Bänden. München: Goldmann 1964 (= Goldmanns Gelbe Taschenbücher, Band 1553) S. 69
91 Carl Spitteler, Imago. Jena: Diederichs o.J. ("Der irdischen Weiber scherz ich" S. 40, sagt Viktor und verkehrt stattdessen mit einem Phantom namens Imago.)

gehören kann[92]!" So fürchtet der romantische Liebhaber nichts *mehr,* als dass sein Himmelskind ihm leibhaftig in den Schoss fallen könnte. Geschieht dies doch einmal wie im Falle Jürgs, so kommt die Liebe ins Wanken: "Da wusste er nicht, ob er sie noch liebte." (JR 94)[93] Freilich, diese wirkliche Hilde liebt er nicht wirklich, wirklich liebt er nur die unwirkliche, das unkörperliche Traumbild, hinter dem die kantige und kümmerliche Wirklichkeit schmerzlich zurückbleiben muss.

"Frischs Gestalten" — so lesen wir bei Monika Wintsch-Spiess — "fliehen vor jedem echten Erlebnis der Gegenwart[94]." Man darf diesem Befund mit Vorbehalten zustimmen. Es liesse sich aber fragen, ob denn das Gegenwärtige überhaupt 'erlebt' werden kann. Jeder Mensch strebt nach glücklichen Erlebnissen und kann insofern die Gegenwart gar nicht fliehen wollen. Hingegen macht er immer wieder die Erfahrung, dass die Gegenwart *ihn* flieht: dass ein ersehntes Glück, sobald es greifbar-gegenwärtig wird, seltsam unbegreifbar ist. Jürg schreibt: "Ich sehne mich nach dem Glück wie irgendeiner. Wenn es da ist, begreife ich es nicht." (JR 90) Es wäre einseitig, in diesem Satz nur einen Ausdruck feiger Gegenwartsflucht zu sehen. Er beschreibt eine Erfahrung, die jeder kennt und keiner gern zugibt: die Erfahrung, dass die Gegenwart oft "vor dem Herzen versagt"[95], dass der gelebte Augenblick mit seinem Inhalt fast immer unsichtbar bleibt. Ernst Bloch, auf den wir uns hier beziehen, nennt dies das "Dunkel des gelebten Augenblicks": "Das Jetzt ist der Ort, worin der unmittelbare Herd des Erlebens überhaupt steht, in Frage steht: so ist das gerade Gelebte selber am meisten unmittelbar, also am wenigsten bereits erlebbar[96]." Wenn das zutrifft — und wer dürfte daran zweifeln —, dann wird Monika Wintschs bedauernde Feststellung, Frisch vermöge "ein gegenwärtiges Ereignis nicht mehr in seiner Unmittelbarkeit zu erleben"[97],

92 Zollinger, Der Halbe Mensch, Ges. Werke Bd. II, S. 209f.
93 An William Lovell, Hauptfigur des gleichnamigen Briefromans von Ludwig Tieck, schreibt ein Freund: "... bei Dir stirbt die Liebe mit der Gegenwart der Geliebten. —" (Ludwig Tiecks Schriften, Berlin 1828ff., Bd. 6, S. 83) Dieses Motiv findet sich bei sämtlichen Dichtern der deutschen Romantik.
94 Wintsch-Spiess, a.a.O., S. 20
95 Vgl. Zollinger, Der Halbe Mensch, S. 140
96 Bloch, Das Prinzip Hoffnung, Bd. I, S. 334
97 Wintsch-Spiess, a.a.O., S. 19

hinfällig. Bloch: "Nur wenn ein Jetzt gerade vergangen ist oder wenn und so lange es erwartet wird, ist es nicht nur ge-lebt, sondern auch er-lebt. Als unmittelbar daseiend, liegt es im Dunkel des Augenblicks. Nur das gerade Vergangene hat den Abstand, den der Strahl des Bewusstwerdens braucht, um zu bescheinen[98]." Frisch selbst hat im 'Tagebuch 1946–1949' des öfteren über dieses Problem reflektiert. Auch er kommt zur Auffassung, dass Gegenwärtiges wesensmässig nicht erlebbar sei:

> "Könnte man unser Erleben darstellen, . . . beispielsweise als Kurve, so würde sie sich jedenfalls nicht decken mit der Kurve der Ereignisse; eher wäre es eine Welle, die jener anderen verwandt ist, die ihr vorausläuft und wieder als Echo folgt; nicht die Ereignisse würden sich darstellen, sondern die Anlässe der Ahnung, die Anlässe der Erinnerung. Die Gegenwart bleibt irgendwie unwirklich, ein Nichts zwischen Ahnung und Erinnerung, welche die eigentlichen Räume unseres Erlebens sind" (TB I 123).

Oder, an anderer Stelle: "Was wir erleben können: Erwartung oder Erinnerung. Ihr Schnittpunkt, die Gegenwart, ist als solche kaum erlebbar . . ." (TB I 419) Zweifellos will Frisch die gleiche Erfahrung ausdrücken wie Bloch, nur formuliert er sie unpräzis. Die Gegenwart ist natürlich nicht der Schnittpunkt von Erwartung und Erinnerung — dies sind *gegenwärtige* Akte —, sondern von Vergangenheit und Zukunft. Es müsste richtig heissen: Was wir *in der Gegenwart* erleben können, ist einerseits *das Vergangene im Akt der Erinnerung,* andererseits *das Künftige im Akt der Erwartung oder der Vorwegnahme,* nicht aber das Gegenwärtige selbst.
Romantische Naturen empfinden das Enttäuschende des Jetzt und Hier besonders stark: es wirkt umso dunkler, je farbiger es antizipiert wurde. Und in seiner sinnlichen Anwesenheit widersetzt es sich der Phantasie, die sich nur am Noch-nicht oder am Nicht-mehr entzündet[99]. So muss der Romantiker bestrebt sein, die Gegenwart zu entrücken. Nie wird er zum Augenblick sagen:

98 Bloch, a.a.O., S. 334
99 Vgl. Musil, a.a.O., S. 1420

verweile doch! Er will nicht festhalten, sondern verlieren. Ihm kann die Gegenwart nicht schnell genug Vergangenheit werden, denn diese nimmt − wie Zollinger sagt − "alles in die Harmonie ihrer Ferne auf"[100]. Mit andern Worten: der romantische Mensch stimmt sich ganz auf *Vergänglichkeit*. Dass alles vorübergeht und nichts so bleibt, wie es ist, bedeutet ihm wehmütigen Genuss. Nur "als ein immer Vergängliches" (Bl 27) erträgt er Gegenwart. Frischs frühe Helden vor allem sind begabte Künstler der Vergänglichkeitstrauer und der Abschiedsmelancholie. Gern wird, wie z.B. in den 'Schwierigen', der Abschied von der Geliebten im Herbst zelebriert: Vergänglichkeit in der Vergänglichkeit.

"Wie ein metallischer Hauch stand die Sonne hinter den Bäumen; ein Gefühl von der Kürze der Tage, ein Gefühl von der Zeit, die stündlich vergeht, war wie ein beschwingendes Wachsein um sie, hob die Stunde, selbst die Stunde des Abschiedes ins Unvergessliche, Kostbare, das empfunden sein wollte." (Schw 214)

Und weiter:

"Abschied der auf jedem Atemzug lag, Wind in den Bäumen und das unaufhaltsame Sinken der Sonne, . . . zu ihren Füssen die Welt voll vergangenem Sommer, . . . all das noch einmal voll weicher Nähe des Mädchens − voll Irrsinn eines qualvollen Genusses, sich vorzustellen, dass sie nun irgendeinem andern Manne folgen würde, unvergessbar wie alles, was man verliert!" (Schw 217)

Es folgt der denkwürdige Satz: "In Augenblicken des Abschiedes, dem nichts mehr folgt, mündet jede Gebärde in ewige Dauer." (Schw 217) Das Verhältnis wird aufgenommen in die Erinnerung. Diese führt − wer wüsste das besser als Kierkegaards Ästhetiker − "das Wirkliche in die Ewigkeit ein, und damit verliert es das zeitliche Interesse"[101]. Und so, entschlackt von allem Endlichen

---

100 Zollinger, Dichtung und Erlebnis. In: Gesammelte Prosa, S. 373 (Ges. Werke Bd. I)
101 Kierkegaard, Entweder-Oder I, S. 29

und Zufälligen, trägt Jürg das Bild der Liebe mit sich in die Abgeschiedenheit. Das Glück, das so schreckte, als es gegenwärtig war — nun erst wird es erträglich: "im Gewande der Erinnerung, im Schleier der Wehmut, im Glanze des Verlorenen" (Bin 23).

Wem das ganze Dasein ein "dauerndes Abschiednehmen" (JR 131)[102] ist, dem wird der Herbst zur liebsten Jahreszeit, "weil er den Grundklang unsres Daseins dichtet wie keine andere Zeit" (Bl 28). Der Herbst hüllt die aufdringliche Wirklichkeit ein in versöhnlichen Dunst: "Eines Morgens hängt er [der Herbst] wie Rauch vor den Bäumen, sie stehen noch sommerlich prall, aber sie stehen hinter einer Seide von bläulicher Kühle, die alles verzaubert, alles vergeistert." (Bin 63) Überall im Frühwerk stossen wir auf den Preis des Herbstes, der Vergänglichkeit. Partien von grosser dichterischer Intensität besingen den "Zauber des letzten Males", der "die Gegenwart ins Berauschende steigert" (Bl 26), besingen die "glühende Brunst" (Schw 277), die "goldene Stille" (TB I 142) der Vergängnis. Wörtlich tauchen diese beiden Ausdrücke im 'Stiller' wieder auf (St 461 u. 465). Auch er, Stiller, ist wie Frisch dem Herbste zugetan: "Er flieht das Hier-und-Jetzt zumindest innerlich. Er mag den Sommer nicht, überhaupt keinen Zustand der Gegenwärtigkeit, liebt den Herbst, die Dämmerung, die Melancholie, Vergänglichkeit ist sein Element." (St 333)

Nicht nur die Gesellschaft, auch die Natur hat ihren Status quo, und konsequent regt sich auch dieser Form des Verfestigten gegenüber ein Unbehagen. Innere Unrast sucht eine Entsprechung in der äusseren Natur. Was soll sie mit Bäumen, die dastehen, "als grünten sie ewig" (Schw 85)? Der Sommer ist "Zustand" (Bl 27), "Stillstand in grünen Erfüllungen" (Schw 81), verhasste Stagnation. Im Herbst aber korrespondieren Innen und Aussen: "alles ist Übergang, Bewegung und Zeit, Reifen und Welken, alles ist Abschied." (Bl 28)

102 Vgl. auch Zollinger: "— unser Dahingehen ist ein immerwährendes Abschiednehmen, ..." (Die Grosse Unruhe, Ges. Werke Bd. II, S. 257)

Die Unmöglichkeit der Möglichkeit

> L'âge modifie notre rapport au temps; au fil des
> années, notre avenir se raccourcit tandis que notre
> passé s'alourdit. On peut définir le vieillard comme un
> individu qui a une longue vie derrière lui et devant lui
> une espérance de survie très limitée.
>
> Simone de Beauvoir, La vieillesse

Leicht neigt romantische Jugend zum Vergänglichkeitskult. Wohl, noch ist die eigne Haut straff, der "jugendliche Trauergenuss" (Schw 151) mithin nicht ohne Koketterie. Ist aber erst einmal die "Hälfte des Lebens" (Bin 10)[103] vorüber, so wird die Einsicht, dass "unser Dasein bloss ein Besuch" (JR 48) ist, allmählich beklemmend: "beim Anzünden der Pfeife sieht er plötzlich seine Hände, Veränderung seiner Hände, seiner Haut überhaupt" (Schw 233). Und: "Herrgott im Himmel! dachte er über seine Zärtlichkeit hinweg: wie kurz ist das alles! Altern war bisher eine Eigenschaft der Leute gewesen." (Schw 174) Eines Tages wird man unversehens inne: "diese Glieder, sie werden zerfallen, einfach zerfallen, tot sein und aufhören, wie Zunder zerfallen . . ." (Bl 79) Mit einem nackten, aller geniesserischen Wehmut nun entkleideten Grauen nehmen Frischs männliche Gestalten die Spuren des Alters und des Zerfalls wahr. Walter Faber notiert: "Die Diakonissin hat mir endlich einen Spiegel gebracht — ich bin erschrocken. . . . Ich bin wirklich etwas erschrocken." (HF 243) Die porige Haut, die Verwitterung der Zähne — "Überhaupt der ganze Mensch! — als Konstruktion möglich, aber das Material ist verfehlt: Fleisch ist kein Material, sondern ein Fluch." (HF 244) Enderlin, der sich noch "sozusagen jung" (G 244) fühlt, weigert sich, sich über die "schlaffe Haut und die Taschen unter den Augen" (G 244) zu entsetzen. "Nur die Zähne, manchmal schon ausgefallen im Traum, . . . erschrecken ihn, auch die Augen: alles Weisse wird aschig oder gelblich. So weit ist es schon." (G 245) Das Verlieren der Zähne, unübersehbares Symptom der Auflösung, wird im 'Tagebuch 1966—1971' beinahe zum Leitmotiv. "Um über das Altern zu schreiben, genügte es für Michel de Montaigne, dass er

---

103 Vgl. Schw 150 und Zollinger, Die Grosse Unruhe, S. 284

einen Zahn verlor; er schrieb: 'So löse ich mich auf und komme mir abhanden.' " (TB II 75) Dieses Zitat Montaignes kehrt wieder als Motto zum 'Handbuch für Mitglieder' (TB II 115) und ein drittes Mal in den 'Notizen zu einem Handbuch für Anwärter' (TB II 138) — vermutlich eine durchaus ungewollte Wiederholung eines Wortes, das Frisch beeindruckte. Das Motiv des Alterns, das seit dem Frühwerk immer wieder anklang, wird im 'Tagebuch 1966–1971' tatsächlich dominant. Nicht nur die diversen 'Handbücher' zuhanden der Anwärter oder Mitglieder der makabren 'Vereinigung Freitod' handeln von Alter und Tod, sondern auch die meisten eingestreuten Geschichten. Manche Rezensenten standen ratlos und verlegen vor dieser Tatsache, fanden "Frischs grosse Obsession . . . befremdlich"[104] oder attestierten ihm gar einen "Alterswahn"[105]. Etwas hilflos leiteten sie Frischs Beschäftigung mit diesem Thema aus seinem eigenen Älterwerden ab, vermochten damit aber nicht zu erklären, warum gerade *diesem* Autor das Altern zum derart dringlichen Problem werden *musste*. Was bedeutet denn 'Altern'? Worauf verweisen die physischen Zerfallserscheinungen, die so sehr beunruhigen? Kein Zweifel: sie signalisieren den unaufhaltsam schwindenden "Vorrat an Zukunft" (TB II 116). Was aber ist Zukunft? Ein Hort von Möglichkeiten, Bereich des Offenen, erst partiell Bedingten, Dimension des Unbekannten und Undurchschauten. Sie ist Trost und Lichtblick dessen, der an der Vergangenheit wie an der Gegenwart leidet. In der Jugend scheint der Bereich des Möglichen noch unbegrenzt: "Noch konnte man ja sagen: Du bist erst zwanzig, und noch war alles möglich, und wie war man stolz darauf, dass noch alles möglich war!" (Ant 12)[106] Die Schlüsselstelle des 'Tagebuchs 1966–1971' lautet:

"Zukunft . . . Für den jungen Menschen: eine Summe vager Möglichkeiten . . . Für den Vor-Gezeichneten ist die Zukunft ebenfalls ungewiss, aber schon eine absehbare Zeit, keinesfalls hoffnungslos, eine Summe abschätzbarer Möglichkeiten . . .

104 Dieter Bachmann, Nachdenken über Max F., in: Die Weltwoche, 19. April 1972
105 Ulrich Meister, Erinnerung an Max Frisch, in: domino, Schweizer Bücherzeitung, Juni 1972, S. 9
106 Vgl. Bin 76

Für den Gezeichneten ist die Zukunft alles, wofür er nicht mehr in Frage kommt, eine Summe definitiver Unmöglichkeit . . ." (TB II 135f.).

Konfrontiert zu sein mit einer definitiven Unmöglichkeit – könnte dem Möglichkeitsmenschen Entsetzlicheres widerfahren? Ein Puer aeternus altert schwer.

Doch das Schrumpfen der noch zu erwartenden Zukunft ist nur der eine Aspekt des Alterns. Je kleiner der Vorrat an Zukunft wird, umso grösser und gewichtiger wird auch der Vorrat an Vergangenheit. Es wächst die Macht dessen, was war, und der Mensch wird immer endgültiger, immer wirklicher. Erdrückt von einer Faktizität, die beansprucht, sein Leben zu sein, und auf die er festgelegt werden kann, ist er immer weniger dazu legitimiert, sich auf schlummernde Potenzen zu berufen. Und doch besiegelt erst der Tod die endgültige Unmöglichkeit aller Möglichkeit. Frisch schreibt so trivial wie wahr: "Der einzige Vorfall, der keine Variante mehr zulässt, ist bekanntlich der Tod." (Ö a P 97)[107]

---

107 Vgl. D+T 18 und TB II 87

II. TEIL: ENTWÜRFE DES MÖGLICHEN

Dem Murren wider alles Wirkliche und Verwirklichte entspricht das Jauchzen darüber, dass noch nicht aller Tage Abend ist. Wie vieles kann noch werden, wie verheissungsvoll erscheint der junge Mensch, der junge Tag, das junge Jahr. Vor ihnen liegt Zukunft, "Zukunft als erregende Leere, ein weisses Blatt, eine Hand voll Lehm" (Schw 282). Doch nicht jeder ist so genügsam, das Mögliche nur in die *Zukunft* zu verlegen. Er nimmt auch das Gegenwärtige, so vollendet es sich geben mag, als blosse "Hypothese"[1] und sagt: es könnte auch ganz anders sein. Und dieses mögliche Anders-sein-können fasziniert ihn ungleich stärker als das banale 'So-ist-es'. Ja selbst in der Vergangenheit hält der Konjunktiv Einkehr, und wieder beschäftigt die Frage, was alles hätte sein können, mehr als das nüchterne 'Was war?'.

So zeigt der Möglichkeitsbegriff bei Frisch zwei Grundbedeutungen. Einmal meint er das Kannsein, das So-oder-anders-werden-können aufgrund noch nicht vollzählig versammelter Bedingungen: "Mögliches ist partiell Bedingtes, und nur als dieses ist es möglich[2]." Diese Art Möglichkeit ist nichts anderes als "der modale Aspekt der Zeiterstreckung Zukunft"[3], wie umgekehrt die Zukunft bestimmt werden kann als der "temporale Aspekt der Seinsweise Möglichkeit"[4]. Davon sieht die zweite Bedeutung von Frischs 'Möglichkeit' gänzlich ab. Sie bezeichnet nicht das noch nicht Ausgemachte und ist nicht mehr nur auf Zukunft bezogen. Das Mögliche meint hier das *Denk*mögliche, meint alles, was vorgestellt, geträumt, ersehnt, erfunden und eingebildet werden

---

1 Vgl. Musil, a.a.O., S. 250

2 Ernst Bloch, a.a.O., S. 260. Wir folgen nicht dem Möglichkeitsbegriff Nicolai Hartmanns, der auf der antiken megarischen Ansicht fusst, "real möglich" sei etwas erst dann, wenn die ganze Reihe der Bedingungen bis zum letzten Gliede beisammen sei, während alles erst partial Bedingte vielmehr unmöglich sei. (Hartmann, Möglichkeit und Wirklichkiet, S. 13f. und Ethik, v.a. S. 658) Sondern wir halten uns an die konträre Auffassung Blochs, wonach als "real möglich" eben das zu gelten hat, "dessen Bedingungen in der Sphäre des *Objekts selber* noch nicht vollzählig versammelt sind". (Das Prinzip Hoffnung, Bd. I, S. 225f.)

3 Hans Heinz Holz, Einleitung zu Ernst Blochs Aufsatz 'Die Frage einer elastischen Zeitstruktur in der Geschichte'. In: Ernst Bloch, Auswahl aus seinen Schriften, Frankf. a.M.: Fischer 1967, S. 93

4 ebd.

kann. 'Möglich' in diesem Sinne ist zum Beispiel, dass ein Mensch sein Leben nochmals leben kann. Solche denkmöglichen Entwürfe gebiert die Phantasie. Ihr allein sind keine Grenzen gesetzt. Sie bezwingt Zeit und Raum und schwebt selig über dem "Mutterboden der sogenannten Wirklichkeit"[5], auf welchem zu wandeln sie Sache der Philister sein lässt.

Morgen und Meer

> Noch wusst' ich nicht, wohin und was ich meine,
> Doch Morgenrot sah ich unendlich quellen . . .
>
> Joseph von Eichendorff, Jugendsehnen

Aller Anfang ist vielversprechend. Noch weiss man nicht, was werden wird und welche Blütenträume reifen, "es herrscht nur das volle Gefühl, wieviel in einem Leben möglich wäre" (Schw 70). Dieses Morgengefühl begleitet jeden Anbruch eines Neuen und Unbekannten. Yvonne, nachdem sie ihren Gatten verlassen hat, steht auf dem Deck des Schiffes, das sie zu andern Ufern bringen wird —

"ein starkes und jähes Gefühl von der Jugend kam über sie, Gefühl eines namenlos Hellen, so plötzlich wie ein Morgen im März: Alles ist möglich, nichts ist geschehen, Ängste der Kindheit wie Schalen gefallen, in einem weissen Kleidchen steht man da in der Wiese, Mensch ohne Verstrickung, und hoch in der Bläue des Morgens, hoch segeln die Wolken hinter laublosen Zweigen . . ." (Schw 33)

Morgen und März: beides sind Bilder der Jugend, Bilder für den "Gnadenstand paradiesischer Frühe"[6] und damit für die "unverbindliche Vielfalt des Möglichen" (Schw 225), die diesem innewohnt. "So lag in der Jugend das Leben noch wie ein unerschöpf-

---

5 Zollinger, Über die 'Grosse Unruhe', Ges. Werke Bd. I, S. 398
6 Vgl. Ulrich Schelling, Identität und Wirklichkeit bei Robert Musil. Zürcher Beiträge zur deutschen Literatur- und Geistesgeschichte, hg. v. Emil Staiger. Zürich: Atlantis 1968, S. 69

licher Morgen vor ihnen, nach allen Seiten voll von Möglichkeiten und Nichts, ..."[7] Diese Musilsche Allseitigkeit und Unbestimmtheit ersehnen auch die meisten Menschen Frischs. *Sie* vor allem ist es, die "das Glück der morgendlichen Frühe" (Bin 22) ausmacht und ein Dasein ohne die "graue Asche der Erfahrung" (Bin 56) zuliesse[8]. Pelegrin in 'Santa Cruz' führt ein solches Dasein und verspricht es auch Elvira: "Und morgen, wenn du erwachst: ein Morgen wird es sein, ein Morgen voll jauchzender Sonne, ein Morgen voll Bläue und Wind, ein Morgen ohne Küste, schrankenlos —" (S I 38). Hier verschmilzt das Bild des Morgens mit dem des Meeres. Auch das Meer, als das Unerschöpfliche und Unabsehbare, symbolisiert die abstrakte Möglichkeit. "Noch einmal das Meer ... Begreifst du, was ich meine? Noch einmal die Weite alles Möglichen" (S I 44), sagt der Rittmeister und spielt damit das Schloss (als Sinnbild der Wirklichkeit) gegen das Meer (als Sinnbild der Möglichkeit) aus. Schon im 'Jürg Reinhart' wird die Ebene der Phantasie mit derjenigen des Meeres verglichen:

"Es war schon so: in seinem Denken gab es zwei Ebenen, und zwar eine kleine, worauf sich die Gedanken bewegten, die in sein wirkliches und ausführbares Leben passten; und eine unbegrenzte Ebene wie dieses Meer, wo man sich alles mögliche denken konnte, ..." (JR 31).

Ebendiese Unbegrenztheit, diese "unsägliche Weite" (Schw 284) macht das Meer zum Inhalt der Sehnsucht. Dass ihr so selten Erfüllung wird, verweist erneut auf die symbolische Bedeutung des Meeres. Es steht für eine Offenheit und eine Weite alles Möglichen, die der endliche Mensch wohl für sich selbst beanspruchen möchte, die ihm aber notwendig verschlossen bleibt, weil immer begrenzende Elemente dazwischentreten, weil da immer — wie in 'Bin' — eine "Rolle" ist, die an die bürgerlichen Pflichten erinnert und es verhindert, dass das Erzähler-Ich das Meer, "das wirkliche, das

---

7 Musil, a.a.O., S. 131
8 Ausführlicheres zu den Motiven 'Frühe', 'Frühling', 'Morgen' und 'März' bei Monika Wintsch-Spiess, a.a.O., S. 25 (Kapitel 'Die Sehnsucht nach der Jugend')
Zum Bild des Meeres bei Frisch vgl. auch Manfred Jurgensen, Max Frisch – Die Dramen, S. 19ff.

schrankenlose" (Bin 86), je erreichen wird. In Frischs Frühwerk wird das erträumte "eigentliche" Leben stets *am* Meer, *auf* dem Meer (Schiff) oder *im* Meer (Insel) gesucht. Die Hoffnung auf ein Leben jenseits von Unfreiheit, beengender Ordnung und Unmenschlichkeit nährt sich immer vom Gedanken oder vom Anblick des Meeres oder auch, wie im Stück 'Nun singen sie wieder', vom Anblick des weiten blauen Himmels: "Aber der Himmel, oh, zwischen den Stämmen ist überall Himmel, ein Meer von Bläue, wir stehen im Wind, wir tragen die Sonne wie schmelzendes Silber im Haar . . ." (S I 86) Das Wort 'Bläue' findet sich im frühen Werk auffallend häufig[9]. Die leitmotivische "Riesenmuschelbläue" aus dem Erstling 'Jürg Reinhart' (JR 7, 64, 209, 240) zittert sogar noch im 'Stiller' nach, wo für den "verblauenden Golf von Mexico" ebenfalls der Ausdruck "Riesenmuschelbläue" gebraucht wird (St 47). Wie Himmel und Meer selbst symbolisiert auch deren Attribut 'blau' das Freie und Ferne, wird so zur "Farbe des Geistes, der Sehnsucht, der Himmel, der Weite und alles Unerreichbaren" (Schw 79), kurz: zur bevorzugten Farbe des romantisch gestimmten Menschen.

Hypothetisch leben: Erinnerung und Sehnsucht

> Ungetrübte Erinnerungen bewahren wir doch nur an versäumte Gelegenheiten.
>
> Arthur Schnitzler, Der Weg ins Freie

> Sehnsucht macht die Dinge und die Menschen unwirklich. Darum ist alles Erreichte so anders als das Ersehnte.
>
> Arthur Schnitzler, Aphorismen u. Betrachtungen

Mangelndes Vermögen, sich im Gefilde handfester Realitäten zurechtzufinden und Gegenwärtiges gebührend wahrzunehmen, deutet oft auf die Vorherrschaft der Phantasie im Bewusstsein eines Menschen. Vorherrschaft der Phantasie aber ist gleichbe-

---

9 Allein in den 'Schwierigen' rund 25 mal

deutend mit Prävalenz des Vergangenen oder Künftigen[10]: "Die Phantasie wird nur von dem erregt, was man noch nicht oder nicht mehr besitzt; der Leib will haben, aber die Seele will nicht haben[11]." Wer in der Ahnung und in der Erinnerung "die eigentlichen Räume unseres Erlebens" (TB I 123) sieht, beweist wenig Empfänglichkeit für das, was wirklich ist, aber umso mehr Einbildungskraft und Vorstellungsvermögen oder — negativ gewendet — umso mehr Neigung zu "romantischer Traum-Vergaffung ins Nicht-Jetzt"[12]. Diese kann prospektiven oder retrospektiven Charakter tragen oder einem (räumlichen) Nicht-*Hier* gelten.

Im 'Tagebuch 1946—1949' schreibt Frisch:

> "Unsere Sehnsucht nach Welt, unser Verlangen nach den grossen und flachen Horizonten, nach Masten und Molen, nach Gras auf den Dünen, nach spiegelnden Grachten, nach Wolken über dem offenen Meer; unser Verlangen nach Wasser, das uns verbindet mit allen Küsten dieser Erde; unser Heimweh nach der Fremde —" (TB I 25).

Die Sehnsucht gilt hier zunächst ganz allgemein der "Welt". Für jeden Menschen bedeutet Welt den Inbegriff dessen, was im eigenen Lande nicht zu haben ist. Es geht dieser Sehnsucht also in erster Linie um ein anderes als das lokale und aktuelle Da. Das ersehnte Dort kann durchaus vage bleiben. Nimmt es aber konkrete Gestalt an und wird zum immer wiederkehrenden Wunschbild, so verrät es einiges über das Wesen dessen, der sich danach sehnt. Dass sich Frisch zum Inhalt dieses ganz anderen stets Masten, Molen und Meer wählt, ist mehr als ein Reflex auf seine Lage als Bewohner eines kleinen Binnenlandes. Der Satz, der dem zitierten Tagebuch-Passus vorangeht — "Wie klein unser Land ist" (TB I 25) —, lässt den Meerwunsch zu Unrecht als blosse geographische Kompensation erscheinen. Frisch und seine Figuren aber träumen nicht vom Meer, weil sie die Schweizerberge satt

10 Diese Vorherrschaft gehört nach Emil Staiger zum Wesen der (Jean Paul'schen) 'Innerlichkeit'. Vgl. Staiger, Meisterwerke deutscher Sprache (Taschenbuchausgabe), S. 63
11 Musil, a.a.O., S. 1420
12 Bloch, a.a.O., S. 366

haben oder sich hierzulande räumlich eingeengt fühlen, sondern weil das Meer, wie gezeigt, all jene äusseren Eigenschaften aufweist, die diese Menschen als innere für sich selbst ersehnen. Das Meer ist lediglich Chiffre für das andere Leben, steht für die Weite alles Möglichen, derer zum Beispiel der Rittmeister in 'Santa Cruz' in langer Ehe verlustig ging. Das aber heisst nun doch wieder, dass die Frisch'sche Sehnsucht letztlich gegenstandslos bleibt. Denn die Weite alles Möglichen ist kein konkretes Ziel, bleibt so unbestimmt wie das vielbeschworene "andere Leben". Auch in der Fernweh-Novelle 'Bin' weiss die Sehnsucht nicht, was und wohin sie will:

"Ich hatte Bin nach dem weiteren Weg gefragt.
'Es kommt darauf an', sagte er, 'wohin du willst.'
Nicht einmal das wusste ich . . ." (Bin 13)

Offenbar *will* der Sehnsüchtige gar kein Ziel, zumindest kein erreichbares, das Erfüllung verspräche. Darin manifestiert sich abermals ein romantischer Zug: "Erfüllung bleibt für den Romantiker nur 'Ideal', fernes, nicht erreichbares Ziel; Erfüllung würde die geliebte Utopie zerstören und den Geist wirklich machen[13]." Das bedeutet nichts weniger, als dass die Sehnsucht sich selber genügt, dass sie nicht mehr, wie es ihrem Wesen gemäss wäre, dahin tendiert, sich aufzuheben, sondern umgekehrt alles vermeidet, was sie stillen könnte. Dem Menschen dieser Art wird es folgerichtig am wohlsten sein, wenn seine Geliebte recht fern von ihm weilt, gilt doch für ihn Tucholskys Verschen:

So süss ist keine Liebesmelodie,
so frisch kein Bad,
so freundlich keine kleine Brust wie die,
die man nicht hat[14].

13 Benno von Wiese, Zur Wesensbestimmung der frühromantischen Situation. In: Begriffsbestimmung der Romantik, S. 165
14 Kurt Tucholsky, aus dem Gedicht 'Sehnsucht nach der Sehnsucht'. In: Rheinsberg, ein Bilderbuch für Verliebte und anderes, S. 83 (Hamburg: Rowohlt 14. Aufl. 1969, rororo Taschenbuch 261)

So avanciert auch bei Frisch die gegenstandslose oder besser: erfüllungsflüchtige Sehnsucht zum superlativischen Wert: "Die Sehnsucht ist unser bestes —" (Bin 89). Der Mangelzustand setzt sich als einzig erstrebenswert, ja wird zum Signum wirklichen Lebens schlechthin: "Leben ist Sehnsucht" (Ant 89). Und:

> "Warum folgen wir unserer Sehnsucht nicht? . . . Warum knebeln wir sie jeden Tag, wo wir doch wissen, dass sie wahrer und reicher und schöner ist als alles, was uns hindert, was man Sitte und Tugend und Treue nennt und was nicht das Leben ist, einfach nicht das Leben, das wahre und grosse und lebenswerte Leben!" (Ant 87)

Wenn Max Gassmann in seiner Frisch-Dissertation schreibt: "In der Sehnsucht wird ein Mangelgefühl spürbar: Sehnsucht ist unerfüllte Gegenwart"[15], so hat er ein Stück weit recht, doch berücksichtigt seine Formel das Paradoxon nicht, dass bei Frisch die *fehlende* Sehnsucht ein Mangelgefühl weckt, welches die erfüllte Gegenwart trübt. Am deutlichsten drückt diese Erfahrung das erzählende Ich in 'Bin oder die Reise nach Peking' aus: "Wir sind in einer Weise glücklich, die uns kaum noch ein Recht lässt auf Sehnsucht; das ist das einzig Schwere . . ." (Bin 64) So würde ein Glück eigentlich erst dann recht zum Glück, wenn man es verlassen hat? Gewiss, und darum sind ja auch so manche Gestalten Frischs wahre Meister im Verlieren, denn "es könnte sein, dass das Verlorene grösser ist denn alles, was man ergriff" (Ant 89). (Mit dem melancholischen Sachverhalt, dass "das Glück der Liebe erst beginnen soll, wenn das Liebes*verhältnis als Wirklichkeit* vorbei ist"[16], befasst sich schon Kierkegaards Constantin Constantius in der 'Wiederholung'.) Dem Verlorenen folgt die alles verklärende Sehnsucht. Diese retrospektive Sehnsucht bleibt wesensmässig immer ungesättigt und kann gerade darum zur Begleiterin eines ganzen Lebens werden. Das wird dort am ehesten der Fall sein, wo eine Vergangenheit als irgendwie unabgeschlossen empfunden wird, wo mögliche Möglichkeiten nicht eingelöst

15 Gassmann, Leitmotive der Jugend, S. 59
16 Kierkegaard, Die Wiederholung, Ges. Werke Bd. 3, S. 121

wurden. Hortense in den 'Schwierigen' ahnt dies, wenn sie sagt: "Wenn ich ihn [Jürg] heirate, am Ende würde ich es nur tun, damit ich nicht mein Leben lang von ihm träume." (Schw 187) Was Hortense nur ahnt, hat Elvira in 'Santa Cruz' in ihrer siebzehnjährigen Ehe mit dem Rittmeister erfahren. Dem Jugendgeliebten Pelegrin wirft sie vor: "Du hast die Ehe nicht gewollt, damit dir meine Sehnsucht erhalten bliebe. ... Du wolltest mehr als das Weib neben dir: du wolltest in ihrem Traume sein ...!" (S I 68) Aber auch der Rittmeister kennt die Sehnsucht, die ungelebte Möglichkeiten wachrufen. Das "andere Leben" (S I 55), das Pelegrin verkörpert und auf das er selber aus Anstand und Edelmut verzichtete (vgl. S I 55f.), will immer wieder hypothetisch durchlebt sein. Luftschlösser nach rückwärts fabeln aus, was hätte sein und werden können; "das Ungelebte einer Jugend, die nicht begangene Untreue schafft Sehnsucht mit Zinseszinsen" (Schw 266).

Es ist leicht zu sehen, dass diese Sehnsucht Gleiches vergegenwärtigt wie die *Erinnerung,* die in der Frisch'schen Spielart ja ebenfalls zumeist auf ein Ungewordenes, Unverwirklichtes, Mögliches gerichtet ist. Nicht immer zwar, wie Monika Wintsch-Spiess meint, wenn sie schreibt, Frisch kenne überhaupt nicht "das Medium der Erinnerung, um gleichsam rückwirkend den beglückenden Erlebnisgehalt aus den vergangenen Ereignissen zu extrahieren"[17] – eine Aussage, die schon durch Frischs kurze Tagebuchnotiz korrigiert wird: "Ich bin sehr glücklich, mindestens weiss ich: diese Tage ... werden mir einmal als glückliche Tage erscheinen." (TB I 331) Aber im grossen und ganzen trifft es zu und *muss* ja für den Jünger der Möglichkeit selbstverständlich sein, dass seine Erinnerung vorzüglich um Unterlassenes und Versäumtes kreist oder aber das wirklich Erlebte derart ausschmückt, ausdichtet und umträumt, dass es zur Erfindung wird. Ohne Frage erklärt sich diese Neigung, das Vergangene zu fiktionalisieren, in erster Linie aus dem Hass auf alles Tatsächliche oder zumindest aus der Langeweile daran.

Im 'Gantenbein' steht der Satz: "Es belästigte ihn [Enderlin] keineswegs die Untreue, die sie begangen hatten, beide, ... es belästigte ihn einfach, dass es jetzt eine Tatsache ist, die sich

17 Wintsch-Spiess, a.a.O., S. 19

gleichsetzt mit allen übrigen Tatsachen der Welt." (G 109) Mit derlei Tatsachen kann Enderlin wenig anfangen. Was ihn beschäftigt, sind vorwiegend seine Nicht-Taten, und das heisst auf dem erotischen Sektor zum Beispiel: "er denkt an keine, die er kennt, aber an alle, die er versäumt hat" (G 230). Über der intensiven Erinnerung an unterlassene Handlungen werden die wirklichen Taten nahezu bedeutungslos, sind interessant allenfalls als unerhebliche "Ausläufer einer fiktiven Existenz" (D+T 20). Die Begegnung des Ich-Erzählers mit einem mutmasslichen deutschen Spion auf dem Piz Kesch illustriert in extenso die Macht der Möglichkeit. Immer wieder zieht er die damalige Möglichkeit in Betracht, den Deutschen über die Felsen gestossen zu haben. Die denkbare, aber nicht vollzogene Tat bleibt im Gedächtnis haften:

"Trotzdem habe ich es, wie sich später zeigte, nicht vergessen, während ich so vieles, was ich wirklich getan habe, wirklich vergessen habe. Das ist merkwürdig. Es scheint, dass es vor allem die wirklichen Taten sind, die unserem Gedächtnis am leichtesten entfallen; nur die Welt, da sie ja nichts weiss von meinen Nicht-Taten, erinnert sich mit Vorliebe an meine Taten, die mich eigentlich bloss langweilen. ... Ich kann es nicht mehr hören, dass ich das und das getan habe, ob schändlich oder rühmlich." (G 88f.)

Einzig die Flucht aus dem Faktischen ins Vorstellbare mildert den Wirklichkeitsekel:

"Nur als unvergessbare Zukunft, selbst wenn ich sie in die Vergangenheit verlege als Erfindung, als Hirngespinst, langweilt mein Leben mich nicht — als Hirngespinst: wenn ich den Mann am Kesch über die Wächte gestossen hätte ..." (G 89)

Im Unterschied zu den getanen Taten erweisen sich die hypothetischen als unvergessbar und mithin zukunftsträchtig. Vom Standpunkt des Erlebenden aus hat nur die denkmögliche Variante zum wirklich Erlebten eine Zukunft, insofern nur sie, die Variante, späterhin Gegenstand der erinnernden Phantasie werden wird. Was die Zukunft *wesensmässig* ist, nämlich Hort des Unverwirklichten, soll auch gelten für die Vergangenheit: das Erzähler-Ich eskamotiert deren Faktizitäts-Charakter und betrachtet sie nur noch sub specie potentialitatis. Nicht das Geschehene interessiert, sondern das, was hätte geschehen können. 'Geschichte' wird zum Arsenal unverwirklichter Möglichkeiten, Leben zum Gedankenspiel.

Freilich: echte, reale Möglichkeit gibt es nur im Hinblick auf die Zukunft. Vergangene Möglichkeiten aber erweisen sich — in der Gegenwart — durchaus als Unmöglichkeiten. Konkret: für den Ich-Erzähler hatte die reale Möglichkeit bestanden, den Deutschen in den Tod zu stossen oder diese Tat zu unterlassen. Da diese Fälle einander ausschliessen, konnte nach dem "Gesetz der disjunktiven Möglichkeit"[18] nur einer wirklich eintreten: "sobald A wirklich wird, verschwindet die Möglichkeit von non-A; und sobald non-A wirklich wird, verschwindet die Möglichkeit von A[19]." Die Möglichkeit des Mordes bleibt unrealisiert und wird für alle Zeiten unrealisierbar bleiben. Das Unrealisierbare aber ist das Unmögliche, was nicht heisst, dass es nicht trotzdem *denkmöglich* wäre. Wirkliches Kannsein indessen liegt immer nur *vor* uns, weshalb es nur Sinn hat, von Möglichkeit zu reden, wo Zukunft ist[20]. Auch diese Möglichkeit spielt, wie schon verschiedentlich gezeigt, eine grosse Rolle in Frischs Werk. Das überschwängliche Jugendgefühl: "Alles ist möglich" (Schw 33) ist zumal im Frühwerk vorherrschend, wenngleich es auch dort schon gedämpft wird durch die nüchterne Einsicht: "nicht alles Mögliche ist uns möglich, wie es der Jüngling noch meint". (Schw 207) Die Vielzahl von Möglichkeiten schrumpft zusammen, sobald wir wählen. "Die Vielzahl ist nur Prospekt", sagt die kluge Prinzessin in Martin Liechtis Roman 'Ich will'. "Beim Zugriff ergibt sich wieder die Einzahl. Nur Einzahl ist uns möglich. Darum klagen wir mit Recht über die Einförmigkeit, Einseitigkeit des Lebens[21]." Die Unentschlossenheit der Frisch'schen Helden ist nichts anderes als Angst vor dieser Einzahl: wer sich der Multipräsenz von Möglichkeiten stets

18 Nicolai Hartmann, Möglichkeit und Wirklichkeit, S. 46
19 ebd.
20 vgl. wieder Holz, a.a.O., S. 93
21 Martin Liechti, Ich will, Roman, Bern: Zytglogge Verlag 1971, S. 153

bewusst ist, wird schwach sein im Wählen und Handeln. Don Juan sollte heiraten, doch er sabotiert die Trau-Zeremonie und erklärt: "Wie soll ich wissen, wen ich liebe? Nachdem ich weiss, was alles möglich ist —" (S II 34) Für ein Gleichnis des Lebens geradezu, das aus 'Embarras de richesse' nicht wirklich gelebt wird, darf Frischs 1935 erschienenes NZZ-Feuilleton 'Der unbelesene Bücherfreund' gelten. Darin steht zu lesen:

> "Warum quält es mich, wenn ich vor einer Bücherei stehe, lesefähig und doch unentschlossen, ob ich endlich mit der Göttlichen Komödie oder mit dem Zarathustra anfangen soll, und wenn ich dann, plötzlich gelähmt, letztlich überhaupt nicht zum Lesen komme[22]? "

Hier unterbindet das Entweder-Oder die Handlung überhaupt. Ringt sich aber der Möglichkeitsmensch dennoch zu einer Entscheidung durch, so wird er sie hinterher bereuen und der nicht realisierten Alternative nachgrübeln. Hätte er allerdings diese verwirklicht, so schiene ihm wieder nur jene wünschenswert, die ihn jetzt, da er sie wirklich gewählt hat, so verdriesslich stimmt. Was soll der eifersüchtige Philemon-Gantenbein tun mit den verdächtigen Briefen aus Dänemark an seine Frau? Es heisst: "Er wird es bereuen, die Briefe nicht wirklich gelesen zu haben, und wenn er sie gelesen hat, so wird er's auch bereuen." (G 278) Wer solcher Lebensweisheit huldigt, gibt zu erkennen, dass ihm kein wie auch immer beschaffenes Verwirklichtes je behagen kann. Wollen und Wille fallen somit dahin, und alles Geschehen wird gleich-gültig:

> "Langsam habe ich es satt, dieses Spiel, das ich nun kenne: handeln oder unterlassen, und in jedem Fall, ich weiss, ist es nur ein Teil meines Lebens, und den andern Teil muss ich mir vorstellen; Handlung und Unterlassung sind vertauschbar; manchmal handle ich bloss, weil die Unterlassung, genau so möglich, auch nichts daran ändert, dass die Zeit vergeht, dass ich älter werde . . ." (G 199f.)

22 NZZ, Jg. 1935, Nr. 505, zit. nach Gassmann, a.a.O., S. 50

Ein Ziel, das dem Dasein Richtung gäbe und inneren Halt, ist untergegangen, Ermattung, Lebensekel und eine Philosophie des 'Einerlei' verbreiten sich. Das Unvermögen, sich in die Selbstbegrenzung, um die kein Handelnder kommt, zu schicken, ohne unablässig das versäumte Auch-Mögliche zu bedenken, muss zur Zerrissenheit führen, zur Spaltung der Person. Soll Enderlin abfliegen oder soll er bleiben? Einerlei:

> "Der nämlich bleibt, stellt sich vor, er wäre geflogen, und der nämlich fliegt, stellt sich vor, er wäre geblieben, und was er wirklich erlebt, so oder so, ist der Riss, der durch seine Person geht, . . ." (G 200)

Zu viel Möglichkeitssinn kann das Leben paralysieren. Denn der Anspruch auf Totalität und Universalität ist prinzipiell lebensfeindlich. Hierüber erteilt der frühe Nietzsche hellsichtigen Bescheid:

> "Und dies ist ein allgemeines Gesetz; jedes Lebendige kann nur innerhalb eines Horizontes gesund, stark und fruchtbar werden; es ist unvermögend, einen Horizont um sich zu ziehn, . . . so siecht es matt oder überhastig zu zeitigem Untergange dahin[23]."

Imaginäres Rollenspiel

> Der gut Verkleidete hat sich entkleidet, so sieht er inwendig aus.
>
> Ernst Bloch, Das Prinzip Hoffnung

So lebensfeindlich exzessive Phantasie sein mag, so sehr erhellen deren Inhalte das Wesen des Wachträumers. Frisch hat seit je versucht, seine Figuren gleichsam durch Negativbilder zu charakterisieren: nicht äussere Erlebnisse, wirkliche Daten und Taten sollen die Wirklichkeit einer Person umschreiben, sondern ihre Nicht-

---

23 Nietzsche, Vom Nutzen und Nachteil der Historie für das Leben, Werke Bd. I, S. 214

Taten, ihre Träume und Fiktionen. Vom jungen Architekten in 'Bin' erfahren wir an äusseren Fakten überhaupt nur, dass er in einer Wirtschaft sitzt, zurzeit Soldat ist und zu Hause Frau und Kind hat. Der Rest ist Wachtraum. Bewusster setzt Frisch dann das indirekte Verfahren im 'Stiller' ein: Stillers Geschichten und Flunkereien, denen der Verteidiger mit seinem Anspruch auf die "klare und blanke und brauchbare Wahrheit" (St 99) keinerlei aufschliessenden Sinn abzugewinnen vermag, sollen von seinem Wesen mehr verraten als alle seine Taten und biographischen Ablagerungen. Im Hörspiel 'Rip van Winkle', das die Stiller-Thematik in geraffter Form abhandelt, macht der Staatsanwalt gegenüber dem Verteidiger geltend:

"Wenn Sie einem Menschen bloss die Taten glauben, die er wirklich getan hat, mein lieber Doktor, dann werden Sie ihn niemals kennenlernen. Sie mit Ihrer Forderung auf die ganze Wahrheit! Als ob tausend Bilder, die einer fürchtet oder hofft, und all die Taten, die ungeschehen bleiben in unserem Leben, nicht auch zur Wahrheit unseres Lebens gehörten . . ." (Rip 37)

Die "ganze Wahrheit" oder die "Wirklichkeit" eines Menschen bestünde also in einem Zusammen von Faktischem und Imaginärem, von Tat und Vorstellung. Wir wissen, dass Stiller selbst sich mit der ersten dieser beiden Wirklichkeits-Komponenten nicht zu identifizieren vermag: "Nicht in der Rolle, wohl aber in der unbewussten Entscheidung, welche Art von Rolle ich mir zuschreibe, liegt meine Wirklichkeit." (St 436) Dieser Satz könnte als Motto über dem Gantenbein-Roman stehen. Er handelt vom grossangelegten Versuch des Ich-Erzählers, im fiktiven Durchspielen verschiedener Rollen und Situationen sich selber durchsichtiger zu werden. Das Ich variiert in Gedanken mögliche Begebenheiten und Erlebnisse. "Ich probiere Geschichten an wie Kleider!" (G 30) Als Geschichts- oder Rollenträger fungieren Gantenbein, Enderlin und Svoboda; sie verkörpern "Entwürfe zu einem Ich" (G 185), das selber lediglich als "weisser Fleck" (D+T 10) erscheint, allmählich aber — gespiegelt in seinen Fiktionen — an Kontur gewinnt.

Die drei erdachten Figuren vertreten nun aber nicht einfach drei eindimensionale Lebens- und Verhaltensvarianten zum Buch-Ich, sondern jede von ihnen wird ihrerseits wieder in eine Vielzahl denkmöglicher Rollen aufgefächert. So fingiert das Ich ein fingiertes Blindenspiel und stellt sich, alias Gantenbein, in alle er-denklichen Situationen; Gantenbein als Gastgeber, als Fremdenführer, als Vater usw. Auch die Variante des Aufgebens der Blindenrolle wird durchexerziert, mit allen Konsequenzen, die sie hat.

Verbunden sind die drei Figuren durch ihr je verschiedenes Verhältnis zu Lila. Gantenbein der Ehemann, Enderlin der Liebhaber, Svoboda der Ex-Gatte. Sie alle machen ähnliche Erfahrungen mit Lila, denn das Buch-Ich, das ihnen diese Erfahrungen unterschiebt, kann ja sein eigenes "Erlebnismuster" (G 72) nicht verleugnen. Es lässt seine Alternativ-Gestalten nur solche 'Geschichten' erleben, die seine eigene Erfahrung abbilden — "man kann nicht leben mit einer Erfahrung, die ohne Geschichte bleibt" (G 14). Lila zum Beispiel muss Schauspielerin sein; sie geht als Contessa nicht und nicht als Medizinerin, weil offenbar das Buch-Ich im Weib schlechthin die Schauspielerin sieht: "das Widerstandslose, Uferlose, Weiche und Willige, das die Formen, die der Mann ihm gibt, im Grundy niemals ernst nimmt und immer fähig ist, sich anders formen zu lassen . . . Man könnte es auch das Schauspielerische nennen." (TB I 318f.) Das scheint Frischs Frauenbild zu sein und ist auch die Weise, wie das Buch-Ich und seine Stellvertreter das andere Geschlecht, personifiziert in Lila, erleben und erleiden. Da die meisten fingierten Geschichten um diese Lila kreisen, sich Erlebnismuster und "Wirklichkeit einer Person" (D+T 10) aber angeblich in ihren Fiktionen offenbaren, ersteht vor unseren Augen ein eifersüchtiger, misstrauischer, tragikomischer "Othello mit den Nerven eines Hamlets"[24]. Dies ist das Haupterlebnismuster: "ein Mann liebt eine Frau, aber durch seine Eifersucht ist er von vornherein als Verlierer gezeichnet[25]." Melancholie, Altersangst, Lustlosigkeit und Langeweile schimmern ebenfalls als Konstanten durch alle

24 Reinhard Baumgart, Othello als Hamlet. In: Über Max Frisch, S. 195
25 Doris Fulda-Merrifield, Max Frischs 'Mein Name sei Gantenbein': Versuch einer Strukturanalyse. In: Max Frisch — Beiträge zu einer Wirkungsgeschichte, S. 166

Ich-Varianten durch und werden durch das Happy-End: "Leben gefällt mir —" (G 496) keineswegs annulliert. Denn sehr wohl liesse sich das freundliche Schluss-Idyll interpretieren als kompensierendes Wunschbild dessen, der seines Daseins nicht mehr froh zu werden vermag.

Wo sich der Potentialis etabliert — "Ich stelle mir vor" —, wird unversehens möglich, was das Leben verwehrt: das Sowohl-als-auch. Selbst disjunktive Vorgänge können brüderlich nebeneinander einhergehen. Das wirkliche Leben ist indikativisch und exklusiv. Von tausend Möglichkeiten muss immer eine sich zur Wirklichkeit entzaubern. Das ist so hart wie langweilig und scheint für Frisch je länger je weniger der künstlerischen Darstellung wert. "Realität gibt's genug." (Dr 17) Kunst aber soll das Mögliche pflegen, soll Spielraum sein und ihn gewähren. Frisch könnte sich auf das Schiller-Wort berufen, wonach jeder Mensch von den Künsten der Einbildungskraft "eine gewisse Befreiung von den Schranken des Wirklichen" erwarte — "er will sich an dem Möglichen ergötzen und seiner Phantasie Raum geben"[26]. Dieser Erwartung kommt der Gantenbein-Roman weit mehr entgegen als seine Vorgänger 'Stiller' und 'Homo faber', weil sich seine 'Handlung' ausschliesslich im Bewusstsein des Ich-Erzählers abspielt und sich somit den Gesetzlichkeiten der Realität nicht zu fügen braucht. Nur in der Einbildung kann eine Person verschiedene mögliche Verhaltensweisen nebeneinander ausprobieren, nur die Phantasie kennt die gleichzeitige Vielzahl.

Im Leben gilt: "so vieles ist möglich, du lieber Gott, und so wenig wird! . . ." (Schw 12) Dieses fatale Gesetz möchte Frisch wenigstens im Kunstbereich umgehen. Er versucht es im 'Gantenbein', seinem bislang letzten Roman. Das Wenige, das ist und wird, hat ausgespielt. Das Mögliche beherrscht das Feld. Die Varianten ersetzen das Thema. Doch sie ersetzen es nicht einfach — dann wäre der Roman ein müssiges Gaukelwerk —, sondern sie lassen es auch ahnen. Ja es geht ihnen letztlich nur darum, das zu umkreisen, was nach Frisch immer unsagbar bleibt: die Wirklichkeit eines Menschen.

---

26 Über den Gebrauch des Chors in der Tragödie (Vorrede zur 'Braut von Messina'), Bd. 2 von Schillers Werken in 4 Bänden (Insel-Schiller) Frankf. a.M.: Insel 1966, S. 242

Der Hauch der Widerruflichkeit

> ... denn man kann nirgends einen zureichenden Grund dafür entdecken, dass alles gerade so kam, wie es gekommen ist; es hätte auch ganz anders kommen können ...
>
> Robert Musil, Der Mann ohne Eigenschaften

Homo Fabers Lebens-Dementi — "es stimmt nichts" (HF 282) — fasst die triste Einsicht vieler Frisch-Figuren bündig zusammen. Faber merkt noch zu Lebzeiten, was der Hauptmann in 'Nun singen sie wieder' erst im Totenreich begreift: "Ich glaube, Väterchen, man hätte anders leben sollen, ganz anders" (S I 117). Doch dämmert diese Erkenntnis auch dem kranken Faber zu spät, und sein mehrmaliger "Entschluss, anders zu leben" (HF 246, 249) reduziert sich angesichts des Todes auf ein ohnmächtiges "Wenn man nochmals leben könnte" (HF 250). Dieser Wunsch meldet sich nicht nur dort, wo auf ein verfehltes Dasein zurückgeblickt wird wie im Falle Fabers und vor allem auch Stillers. Ebenso nachdrücklich hegt ihn der Mensch, der — wie der Rittmeister in 'Santa Cruz' — überzeugt davon ist, dass das Leben, das er führte, für ihn nicht "das einzig mögliche Leben gewesen sei" (S I 24). Auch er wünscht: "ich möchte noch einmal leben" (S I 45) oder zumindest: "Ich möchte hören, was ich alles nicht erlebt habe. Ich möchte sehen, wie mein Leben hätte aussehen können. Nur dies." (S I 23)

Die Frage, "ob es möglich wäre, dass unser Leben hätte anders verlaufen können" (TB I 174), beschäftigt Frisch nachhaltig. Seine Antwort auf diese ehrwürdig-metaphysische Frage nach Zufälligkeit oder Notwendigkeit, nach Willkür oder Fügung, ändert sich im Lauf der Zeit grundlegend. Der zufallsgläubige Rittmeister wird noch zur Räson gebracht und lässt sich vom Dichter Pedro überzeugen, dass "keiner ein anderes Leben hätte führen können als jenes, das er führte ..." (S I 55) Und Frisch selbst doppelt im Programmheft zur Zürcher Uraufführung nach, wir alle hätten ein Schicksal, ein Kreuz: "Jedes Kreuz ist schwer, zugleich tröstlich: Es ist, mindestens in den wesentlichen Wendungen, kein Zufall in unserem Leben, wie es der Rittmeister eines Abends fürchtet...[27]" Die gleiche Überzeugung drückt der letzte Satz des 'Tagebuchs 1946–1949' aus: "Am Ende ist es immer das Fällige, was uns zufällt." (TB I 464) Walter Faber dagegen, "gewohnt mit den Formeln der Wahrscheinlichkeit zu rechnen" (HF 30), vertritt den andern Standpunkt. "Wieso Fügung! Es hätte auch ganz anders kommen können." (HF 102) Doch noch zögert Frisch, sich diesen Glauben zu eigen zu machen, noch ist er bestrebt, ihn ad absurdum zu führen. Gegenüber Höllerer äusserte er, es sei seine bewusste Absicht im 'Homo Faber' gewesen, durch das vehemente Leugnen der Fügung diese nur umso glaubhafter erscheinen zu lassen. (Dr 28)

Im folgenden Roman, 'Mein Name sei Gantenbein', vollzieht Frisch die Kehrtwendung. Nun plötzlich kann ihm nichts mehr verbürgen, dass das, was dem Menschen zufällt, mehr ist als Zufall. Der Verzicht auf eine festgefügte und logisch-zwangsläufige Handlung spiegelt den Schwund des Glaubens an Fügung und Notwendigkeit. Kein linearer Lebenslauf wird mehr erzählt, kein Imperfekt unterstellt, "dass es nur so und niemals anders hat geschehen können" (D+T 13). Das dramatisch-funktionale Element weicht dem Element der Beliebigkeit. Der Zufall regiert. Und wo der Zufall regiert, ist nichts unmöglich.

Es bedarf kaum noch des Hinweises, dass der Glaube an die Zufälligkeit die dem Möglichkeitsmenschen einzig gemässe Haltung ist. Die Zufälligkeit bedeutet für die retrospektive Phantasie das, was die Möglichkeit für die prospektive bedeutet: Möglich ist, was eintreten, aber auch nicht eintreten kann. Als das nicht Ausgemachte setzt es die Spekulation in Gang. Zufällig hingegen ist das, was zwar eingetreten ist, aber ebensogut nicht hätte einzutreten brauchen[28] oder aber ganz anders hätte verlaufen können. Es ermuntert also seinerseits zum Gedankenspiel: was wäre geschehen oder anders gekommen, wenn . . .

Carl Schmitt hat gezeigt, wie sehr das Zufällige die Relation des Phantastischen, des Traumes und des Spiels ist, welch zentrale Rolle es mithin in der Romantik einnahm. Durch den Begriff der

---

27 Zit. nach Hans Bänziger, Frisch und Dürrenmatt, S. 58
28 Vgl. hierzu das von einem Autorenkollektiv herausgegebene Lehrbuch 'Marxistische Philosophie', Berlin: Dietz 1967, S. 273f.

"occasio" sah er die romantische Haltung aufs klarste bezeichnet. Dieser Begriff, der mit 'Anlass', 'Gelegenheit', 'Zufall' umschrieben wird, erhält indes nach Schmitt seine eigentliche Bedeutung erst durch einen Gegensatz: er verneint den Begriff der "causa", das heisst, den Zwang einer berechenbaren Ursächlichkeit: "alles, was dem Leben und dem Geschehen Konsequenz und Ordnung gibt — sei es die mechanische Berechenbarkeit des Ursächlichen, sei es ein zweckhafter oder ein normativer Zusammenhang —, ist mit der Vorstellung des bloss Occasionellen unvereinbar[29]."

Auch Frisch negiert — gewiss nicht zuletzt aus Angst vor "Konsequenz und Ordnung" — die Notwendigkeit, die Zwangsläufigkeit. Die Freiheit, die er dadurch gewinnt, ist freilich keine Unabhängigkeit von bestimmenden Ursachen, sondern lediglich eine erweiterte Gedankenfreiheit: sie ermöglicht ihm, "alles, was ebensogut sein könnte, zu denken und das, was ist, nicht wichtiger zu nehmen als das, was nicht ist[30]." In der Praxis des Lebens bedeutet dies wenig. Dort gilt nach wie vor, dass es "kein Zurückgreifen in vergangene Zeit, kein Nachholen und Verbessern" (Ant 52f.) gibt. Ein Faktum bleibt Faktum auch dann, wenn ihm Sinn und Notwendigkeit abgesprochen werden. In der Praxis der *Kunst* aber wirkt eine solche Haltung sich aus. Der Künstler mit Sinn fürs Auch-Mögliche wird sich hüten, "ein treuer Maler des Wirklichen"[31] zu sein. Er wird es sich versagen, das Leben, "das ja dadurch gekennzeichnet ist, dass in diesem Moment immer nur eine einzige von allen Möglichkeiten sich realisiert" (Dr 16), zu imitieren. In seinem Kunst-Spiel soll das zugelassen sein, was das Leben nicht zulässt: dass zum Beispiel die "entsetzliche Kontinuität der Zeit" (Dr 17) aufgehoben wird, dass das Rad der Geschichte zurückgedreht werden kann. Der Wunsch, dies zu tun, verdankt sich dem Glauben an den Zufall, denn solches Wünschen schiene jenem vermessen, der von der ehernen Notwendigkeit und einem Sinn der Geschichte überzeugt wäre.

Kürmann jedenfalls, Protagonist im Stück 'Biografie', ist es nicht. Er anerkennt seine eigene Geschichte nicht als die einzig mögliche:

29 Carl Schmitt, Romantik (Vorwort zur 1925 erschienenen 2. Aufl. seines Buches 'Politische Romantik'), in: Begriffsbestimmung der Romantik, S. 89
30 Musil, a.a.O., S. 16 (Musil definiert hier den "Möglichkeitssinn")
31 Vgl. Schiller, Über den Gebrauch des Chors in der Tragödie, a.a.O., S. 243

"Biografie! Ich weigere mich, zu glauben, dass unsere Biografie, meine oder irgendeine, nicht anders aussehen könnte. Vollkommen anders. Ich brauche mich nur ein einziges Mal anders zu verhalten –" (S II 310)

Und er fügt noch bei: "– ganz zu schweigen vom Zufall!" Der Registrator, als "Instanz des Theaters"[32], gibt ihm die Chance, die Probe aufs Exempel zu machen. Kürmann kann das Rad seiner Lebensgeschichte nach Wunsch zurückdrehen, an einem beliebigen Punkt innehalten und anstelle des damals praktizierten Verhaltens ein neues wählen und ausprobieren. In diesem wiederholten Ausprobieren von Varianten besteht die 'Handlung' des Stücks. Die Bühne ist nicht mehr der Ort einsinnig-unvermeidlichen Geschehens, sondern Spielraum divergierender Möglichkeiten[33].
Kürmann nun, der anfänglich genau zu wissen vorgab, was er in seinem Leben anders machen würde, ist unschlüssig. Keine der probierten Neufassungen will ihm behagen. Die angestrebte "Biografie ohne Antoinette" (S II 306) kommt nicht zustande, die Variationsbreite des Verhaltens erweist sich als lächerlich schmal, die Korrekturen bleiben geringfügig. Die Bilanz lautet:

"Dieselbe Wohnung. Dieselbe Geschichte mit Antoinette. Nur ohne Ohrfeige. Das haben Sie geändert. Ferner sind Sie in die Partei eingetreten, ohne deswegen ein anderer zu werden. Was sonst? Und Sie halten einigermassen Diät. Das ist alles, was Sie geändert haben, und dazu diese ganze Veranstaltung!" (S II 369)

"Leben", erklärt Frisch in der Schillerpreis-Rede – zwei Jahre vor der 'Biografie' –, "summiert sich aus Handlungen, die oft zufällig sind, und es hätte immer auch anders sein können" (Ö a P 97). Kürmann vertritt somit Frisch'sche Glaubensartikel, wenn er sagt: "ich könnte je nach Zufall auch eine ziemlich andere Biografie haben" (S II 329) oder: "Es musste nicht sein" (S II 372). Der Zuschauer, der Frischs Neigung zum Quod erat demonstrandum

---

32 Vgl. Anmerkungen zur 'Biografie', S II 434
33 Vgl. hierzu Bloch, a.a.O., S. 478ff.

kennt, wird den Lauf der 'Biografie' mit wachsendem Erstaunen verfolgen. Denn hier scheint genau das gezeigt zu werden, was Frisch und Kürmann nicht wahrhaben, geschweige denn beweisen wollen: die Zwangsläufigkeit einer Biographie. Wider den Willen des Autors scheint sich jene Behauptung aus 'Santa Cruz' zu bestätigen, nach der "keiner ein anderes Leben hätte führen können, als jenes, das er führte..." (S I 55) Ein Kritiker der 'Biografie' kommentierte solch offenkundigen Fatalismus mit den Worten: "Wie gut. Wir können ruhig schlafen[34]." Und Frisch selbst bekannte, er sei bei der Arbeit "konsterniert" gewesen, als er gemerkt habe, dass sich auch hier wieder ein zwingender "Schicksalslauf" anbahne. (Dr 28) Wohl um sich seine geschichtsphilosophische Sicht von Kürmann nicht desavouieren zu lassen, erfand er einen Schluss, der den gewonnenen Eindruck prinzipieller Zwangsläufigkeit wieder aufheben soll: Antoinette, die ebenfalls die Erlaubnis erhält, ihre Lebensgeschichte zu revidieren, wählt ohne Zaudern eine Biographie ohne Kürmann. Sie bedient sich einer Freiheit, die Kürmann zwar propagiert, aber durch sein Verhalten selbst widerlegt, und sie rettet damit ironischerweise die Glaubwürdigkeit seines Kernsatzes: "Es musste nicht sein." Durch Antoinette lässt sich aber auch Frisch einen Liebesdienst erweisen: indem er sie eine andere Wahl treffen lässt, versichert er sich selbst, dass der unbarmherzige Zugzwang, unter dem Kürmann zu stehen scheint, keineswegs als ausnahmslose Regel gelten darf. So wird Antoinette zum lebenden Vorbehalt und zum Hoffnungsbild gegen die drückende Sorge, dass innere und äussere Determinanten den Menschen prellen könnten um das Herrlichste: um die Möglichkeit der Möglichkeit.

---

34 Hans Schwab-Felisch, Die erfolgreiche 'Biografie'. In: Max Frisch — Beiträge zu einer Wirkungsgeschichte, S. 309

III. TEIL: GELÖSTE STRUKTUREN

Alle Form ist Auswahl unter Möglichkeiten, Verwirklichung immer Verzicht auf den Traum.

Albin Zolliger, Die Grosse Unruhe

Ein Dichter, der unter der Faszination all dessen steht, was möglich wäre, hat es schwer. Er befindet sich in der quälenden Lage, gestalten zu müssen trotz einer ausgeprägten Scheu vor dem Gestalteten. Er fürchtet sich vor dem Wort (als einer definitiven Wirklichkeit) und verspürt zugleich einen inneren Zwang zu verbaler Mitteilung. Da ihm der Rückzug ins Schweigen verwehrt ist, bleibt nur das tastende Suchen nach Ausdrucksformen, die seiner Natur zumindest andeutungsweise Rechnung zu tragen vermöchten.

Wie also gestaltet Max Frisch, der allem Feststehenden zutiefst misstraut und der wie Amiel dazu neigt, "im Durchträumen der Möglichkeiten das Zufallskind Wirklichkeit" zu verachten[1]?

Betrachten wir die Anfänge. Wir erinnern uns an die Szene, in der Jürg Reinhart seine Geliebte in den Armen hält und ihrer Körperlichkeit mit Unbehagen innewird. Wir erinnern uns ferner an das im Frühwerk so verbreitete Lob der Vergänglichkeit, an die Bedeutung des Herbstes, dessen "bläulicher und kupferiger Hauch . . . alles Kantige versöhnt" (JR 212).

Wer sich durch das Gegen-ständliche verstimmen lässt, dürfte sich schwerlich einer Sprache anvertrauen, die — feststellend und auseinandersetzend — Konturen schafft. Vielmehr wird er nach einer Ausdrucksweise suchen, die nicht zupackt, die behutsam auftritt, oder noch besser: die gleitet oder schwebt. Wir erwarten also keine Alltagssprache, sondern das, was man gemeinhin als 'dichterische' oder 'poetische' Sprache zu bezeichnen gewohnt ist.

"Schwermut der Herbste, aller zusammen, dunkelt um fremde Gehöfte, bitter von Rauch. Wälder versteigen in Nebel; Stämme, nichts weiter, Schauer von Wind und Wirbel

---

1 Hofmannsthal, Das Tagebuch eines Willenskranken, a.a.O., S. 276

von Laub, Nässe der Stauden, das Tropfen auf einsame Bänke, das Modern im Moos, nachher die wuchernde Fülle der Pilze, die man in tauben Händen zerbricht, Blust der Verwesung. Oder der Abend in Städten, heimatlos, die Hände in den Manteltaschen; wie graue Leinwand schlägt es durch die erloschenen Farben des Tages, Asche, Strassen von Asche, Schaufenster darin, Lampenstuben in den Häusern, man geht unter dem scheinlosen Laternengold — droben im feuchten Laub der Alleen — und draussen die Helle noch über dem abendlichen Perlmuttersee . . ." (Schw 278)

Jeder Leser wird bemerken, dass diese Textprobe aus den 'Schwierigen' streckenweise 'wie ein Gedicht' tönt. Tatsächlich ist dieser Prosa etwas Melodisch-Einschmeichelndes eigen, das gestatten würde, zumindest die erste Hälfte zwanglos als Gedicht vorzutragen. Als weiteres Stilmerkmal wäre die vorwiegend parataktische Fügung zu nennen, wobei das feststellende Hilfszeitwort "ist" ausnahmslos wegfällt. Oft sind die Sätze unvollständig, reduziert auf ein Nebeneinander unverbundener Worte. Der logische Bezug einzelner Worte oder Wortgruppen bleibt unklar. So weiss man z.B. nicht auf Anhieb, worauf die Umstandsbestimmung "bitter von Rauch" bezogen werden soll. Aus allen logischen Fugen geraten ist der Satz: "Oder der Abend in Städten, heimatlos, die Hände in den Manteltaschen; . . ." All diese Stilphänomene deuten darauf hin, dass wir es hier mit einer Sprache zu tun haben, welche die Dinge mehr antönen als ergreifen will. Man kann sie — im Sinne der Fundamentalpoetik — als 'lyrisch' bezeichnen. *"Lyrisches Dichten* aber", so Emil Staiger, "ist jenes an sich unmögliche Sprechen der Seele, das nicht 'beim Wort genommen' sein will, bei dem die Sprache selber noch ihre eigene feste Wirklichkeit scheut und lieber sich jedem logischen und grammatischen Zugriff entzieht[2] ." Lyrisches Sprechen musste Max Frisch insofern naheliegen, als nur es die Scheu vor dem Feststehenden unmittelbar auszudrücken vermag. Freilich hat auch die Epik Albin Zollingers, in der das lyrische Element deutlich

2 Staiger, Grundbegriffe der Poetik, S. 78

dominiert[3], sichtbare Spuren im frühen Schaffen Frischs hinterlassen. Doch konnten ja Zollingers Dichtungen nur darum so einflussreich für ihn werden, weil er in ihnen etwas fand, das unentwickelt in ihm selber lag.

Nun stellt sich allerdings die Frage, ob die ausgewählte schmale Textprobe repräsentativ sei für Frischs Frühwerk. Sie spiegelt, so dürfen wir antworten, zumindest eine *Tendenz,* die bis und mit 'Bin oder die Reise nach Peking' unübersehbar ist und die im 'Tagebuch 1946—1949' dann abklingt. Diese Tendenz zur Lyrisierung zeigt sich hauptsächlich in den Schilderungen stimmungsgesättigter Landschaften; in ihnen entfaltet sich auch Frischs Sprachvermögen aufs eindrücklichste[4].

Eine Eigentümlichkeit der frühen Prosa bleibt noch anzumerken. "Es glühen die Sommer mit weissem Gewölk über dem See, Herbste silbern in versponnenem Hauch, und über den Parken schwimmt das Geläute der Münster, Morgen um Morgen, wie ein Gesumm . . ." (Schw 46) Gleich wie Zollinger liebt Frisch Substantiv-Bildungen mit der Vorsilbe 'ge-'. Neben dem am häufigsten vorkommenden 'Gewölk' und dem verbreiteten 'Geläute' stehen 'Geflock', 'Gezweig', 'Geschäum', 'Gewipfel', ferner die recht kühnen Schöpfungen 'Gehügel' und 'Gebäum'. Es sind also durchwegs Kollektivbildungen, die bevorzugt werden. Das gegenständliche Einzelding verschwimmt hinter einem unscharfen Insgesamt[5].

Nach alledem scheint die Annahme gerechtfertigt, dass Frisch bereits in seinen Anfängen zu sprachlichen Formen fand, die sein Lebensgefühl (und damit seine Thematik) in adäquater Weise ausdrücken. Sein Stil verrät, bis hinein in die Wortwahl, das Bestreben, sich die Wirklichkeit vom Leibe zu halten.

Doch dieser Wirklichkeit bleibt der frühe Frisch insofern verhaftet, als er deren Gesetzlichkeiten auch in seinem Kunstschaffen

---

3 Vgl. hierzu Max Wehrli: "seine Prosa kann kaum erzählen und darstellen, die dürftige Handlung ist nur wie ein Anlass zum immer neuen lyrischen Aufschwung." (Gegenwartsdichtung der deutschen Schweiz, S. 129)

4 Anderer Meinung ist Karlheinz Deschner: "Überhaupt beweisen seine Landschaftspinseleien eine eklatante dichterische Impotenz." (Talente, Dichter, Dilettanten, S. 136)

5 Darauf hat Max Gassmann aufmerksam gemacht im Kapitel 'Frischs Impressionismus', a.a.O., S. 117ff.

respektiert: weder im 'Jürg Reinhart' noch in 'Antwort aus der Stille', noch in den 'Schwierigen' wird etwas erzählt, was sich nicht tatsächlich so ereignet haben könnte. Den Mutterboden der Wirklichkeit — um dieses Wort Zollingers nochmals aufzunehmen — verlässt Frisch nicht. Die Kalender- oder Uhrzeit behauptet ihr Recht, Chronologie und Folgerichtigkeit bleiben somit gewahrt, der Handlungsablauf ist mehr oder weniger ebenmässig, überschaubar und leicht nachzuerzählen.

Davon bildet nun die Prosadichtung 'Bin oder die Reise nach Peking' eine erstaunliche Ausnahme. Hier gelang es Frisch, sich aufzuschwingen in die "vierte Dimension des Dichterischen"[6] und alle Erdenschwere hinter sich zu lassen. Worum geht es? Bereits im 'Jürg Reinhart' ist einmal die Rede vom "landläufigen Wahn, dass die Folgerichtigkeit das einzig Wahre sei" (JR 196). Und in 'Bin' selbst lesen wir:

> "Wenn wir nicht wissen, wie die Dinge des Lebens zusammen-hängen, so sagen wir immer: zuerst, dann, später. Der Ort im Kalender! Ein anderes wäre natürlich der Ort in unserem Herzen, und dort können Dinge, die Jahrtausende auseinan-derliegen, zusammen gehören, sich gar am nächsten sein, während vielleicht ein Gestern und Heute, ja sogar die Ereignisse eines gleichen Atemzuges einander nie begegnen. Jeder weiss das. Jeder erfährt das. Ein ganzes Weltall von Leere ist zwischen ihnen. Man müsste erzählen können, so wie man wirklich erlebt." (Bin 36)

Es gelang Frisch auf bewundernswerte Weise, dieser inneren Wirklichkeit durch seine Erzählmethode gerecht zu werden und "das magische Geflecht des Bewusstseins mit zarter, mit höchst behutsamer Hand aufzudecken"[7]. Eine schwebende, bilderreiche, oft trunkene Sprache spricht von Dingen, die ganz der Logik des Traums unterstehen. Der folgerichtige und eine äussere Ordnung spiegelnde Ablauf der Geschehnisse wird durch eine lose Assozia-

6 Zollinger, Über die 'Grosse Unruhe', Ges. Werke Bd. I, S. 398
7 Emil Staiger, Bin oder die Reise nach Peking. In: Schweizer Monatshefte 25 (1945), S. 316

tionskette ersetzt. Damit geraten herkömmliche Vorstellungen von Zeit und Raum ausser Kurs. Wer genötigt wäre, die 'Handlung' dieser bezaubernden Rhapsodie nachzuerzählen, käme also sehr bald in Verlegenheit. "Alle Dinge und Geschehnisse sind nur Töne und Rhythmen der aus Traum und Wachen gemischten Bewusstseinsmusik und wollen nur als solche gewürdigt sein[8]."
'Bin oder die Reise nach Peking' ist ein erster Gipfel im Prosaschaffen Frischs. Nirgends sonst im Frühwerk schwingen das Was und das Wie des Erzählten so rein ineinander. Das Motiv der imaginären Reise aus dem Muff des reglementierten Alltags in blaue Wunschländereien bedurfte genau jenes lockeren, beweglichen und duftenden Sprachgewandes, das Frisch ihm gab.
Im 'Tagebuch 1946—1949' beginnt sich abzuzeichnen, dass Frisch nicht wie sein Vorbild Zollinger als "konstitutionsmässiger Lyriker"[9] gelten darf. Zwar finden sich da und dort noch Passagen, die man 'lyrisch' zu nennen versucht ist und die gerade dadurch, dass sie inmitten von Reflexionen und Sentenzen stehen, reizvolle Kontrapunkte abgeben könnten. Allein, die lyrische Intensität und Eingebung der vorangehenden Prosa erreicht Frisch nicht mehr. Bedenklicher stimmt der Verdacht, er beginne sich selbst zu zitieren. Tatsächlich wirkt die Sprache jetzt oft artifiziell, allzu gewollt; die Bilder scheinen sich verbraucht zu haben, erschöpfen sich in bekannten Prägungen wie: "Gebirge von glühendem Gewölk" (58), "ein verdämmerndes Tal" (58), "die goldene Stille der Vergängnis" (142), "Bläue schwimmt durch das spröde Gezweig" (170), "die verblauende Ferne" (171), "Gebirge von silbernem Schaum" (293), "Gebrumm eines fernen Geläutes" (346).
Doch neben diese sporadischen Reminiszenzen tritt nun ein Neues. Der Wille zum Konstatieren, Analysieren und Reflektieren, dessen Ausdrucksmittel hier wie überall eine Sprache fortschreitender Objektivierung ist, setzt sich durch[10]. Manches, was früher in der

---

8 Staiger, a.a.O., S. 317
9 So nannte Zollinger sich selbst. Vgl. seinen Vortrag: Über die 'Grosse Unruhe', a.a.O., S. 397
10 Vgl. Ernst Cassirer, a.a.O., v.a. Kapitel IV, S. 249ff. Man könnte auch — in der Terminologie Karl Bühlers — von einer Verschiebung der Ausdrucksfunktion zur Darstellungsfunktion sprechen. (Vgl. Sprachtheorie, v.a. S. 28f.)

Sprache selbst aufleuchtete, wird nun auf den Begriff gebracht. So spiegelt sich die Scheu vor dem Fertigen nicht mehr unmittelbar in der Weise des Sagens, sondern wird zum Thema des Gesagten. Sprachskepsis trägt sich vor in geschmeidiger Diktion. Ein Abschnitt setzt sich mit Skizze und Fragment auseinander, formuliert Misstrauen gegen die "Geschlossenheit einer Form" (TB I 118) und "Scheu vor einer förmlichen Ganzheit" (TB I 119).

Und doch liesse sich auf all diese verbalisierten Idiosynkrasien auch indirekt schliessen — auf Grund formaler Kennzeichen des Tagebuches. Dessen Frisch'sche Spielart stellt sich dar als ein Mosaik von Aufzeichnungen, Reflexionen, Entwürfen, Skizzen, Aperçus, kurz: als ein weites Versuchsfeld, das weder als Ganzes noch in seinen Teilen Anspruch auf Geschlossenheit und Fertigkeit erhebt. Im Gegenteil, es betont mit Absicht das Unfertige, Vorläufige, Fragmentarische. Peter Boerner's Bemerkungen zum modernen Tagebuch treffen für Frischs Diarien aufs genaueste zu:

> "Die Progression von Eintrag zu Eintrag ermöglicht es dem Diaristen, sich selbst und seinen Lesern ständig das nicht Abgeschlossene seines Schreibens vor Augen zu halten, ja einzelne Gedanken bewusst offen zu lassen. ... Damit erscheint das moderne Tagebuch als die angemessene literarische Form für den Autor, der keinen festen Standpunkt einnehmen kann oder will, es erlaubt künstlerische Aussagen ohne Zwang einer Gesamtkomposition, es erfordert keinen roten Faden, kein Leitmotiv, keine Fabel[11]."

Vier Jahre nach dem 'Tagebuch' erschien der Roman 'Stiller' — ein Roman in Tagebuchform. Spätestens hier wird Frischs Vorliebe für diese Art der Mitteilung offenkundig. Doch hüten wir uns vor voreiligen Gleichsetzungen und Schlüssen. Das gleiche Etikett könnte trügen. Allerdings sind äussere Entsprechungen zum 'Tagebuch' unverkennbar. Auch der 'Stiller' erweist sich als ein Experimentierfeld, auf dem verschiedenste literarische Formen erprobt werden: " 'Stiller' enthält epische Partien, dramatische Szenen, lyrische Elemente, Parabeln, Märchen und Anekdoten,

---

11 Boerner, Tagebuch, Stuttgart 1969 (Sammlung Metzler 85), S. 65

novellistische Einschübe, Tagebuchaufzeichnungen, Meditationen und Aphorismen, essayistische Abhandlungen und Reportagen[12]." Entsprechend vielgesichtig und modulationsfähig zeigt sich die Sprache, die sich so schwer in Begriffe fassen lässt wie der Tagebuchschreiber, der sich ihrer bedient.

Nun kommt im 'Stiller' aber noch anderes hinzu: waren im 'Tagebuch' die einzelnen Teile naturgemäss mehr oder weniger locker-unverbunden aneinandergefügt, mehr oder weniger selbständig, so bilden sie jetzt sinnvolle, zweckvolle, funktionale Elemente eines in sich geschlossenen Ganzen. In der strengen Tagebuchform können die Einzelteile niemals diesen funktionalen Charakter tragen, da die Zukunft, die einen Sinnzusammenhang allererst stiftet und von der her ein Geschehen in finaler Dynamik attrahiert werden könnte, dem Schreibenden unbekannt ist. Das Tagebuch erlaubt also keine Gesamtkomposition, es sei denn eine schlicht additive. Wo ein Ziel oder Zweck fehlt, muss das Einzelne ohne Bezug bleiben[13]. Insofern ist der 'Stiller' gewiss kein Tagebuch, sondern eben ein Roman, dessen Autor das Ganze übersieht und daher die Teile als dessen Funktion zu konzipieren vermag. Nie verliert er den roten Faden, wie oft er auch die Perspektiven wechselt und wie kühn er auch zeitliche Volten schlägt.

Gleiches gilt für 'Homo Faber', wo Frisch derartige Techniken ebenfalls souverän handhabt, ohne dass der (allerdings wesentlich spärlichere) Grundriss der Fabel je verdeckt würde. Wohl nicht ganz zu unrecht empfand Walter Jens diesen neuen Roman als "Parergon", als "Arabeske" zum 'Stiller'[14]. Sieht man von der vom Autor bewusst gepflegten "Sprachverrottung"[15] ab, so bietet er in der Tat an formalen Aspekten wenig Neues.

'Bin' entrückte uns aus der Wirklichkeit in eine poetische Welt, die mit jener nichts zu schaffen hatte. 'Stiller' und 'Homo Faber'

12 Marcel Reich-Ranicki, Der Romancier Max Frisch. In: Deutsche Literatur in West und Ost, S. 93
13 Vgl. dazu die Ausführungen von Karlheinz Braun, a.a.O., S. 89ff.
14 Jens, Max Frisch und der homo faber. In: Max Frisch — Beiträge zu einer Wirkungsgeschichte, S. 65
15 Vgl. Walter Schenker, Mundart und Schriftsprache. In: Über Max Frisch, S. 296 Zur Sprache des 'Homo Faber' vgl. auch Werner Weber, Max Frisch 1958. In: Bestand und Versuch, S. 774

stehen wieder auf der Erde und fügen sich ihren Gesetzen. Das Geschehen könnte 'wahr' sein: erzählt werden – im Modus des Indikativs – die Geschicke zweier Männer. Dabei durfte es nicht bleiben. Dass die bemühenden Spielregeln der objektiven Realität auch in der Kunst-Wirklichkeit gelten sollten, musste Frisch immer weniger plausibel erscheinen. Die Abkehr vom Realitätsprinzip erfolgt im Roman 'Mein Name sei Gantenbein'. Der Autor hat es satt, so zu tun, "als würde eine Geschichtlichkeit erzählt" (D+T 17). Er will nicht 'Wirkliches' abbilden, sondern Denkmögliches umspielen, und der Leser soll wissen, dass alles nur Fiktion ist.

Freilich, fiktiven Gepräges ist jeder Roman, aber nicht jeder bekennt sich dazu, und die meisten bemühen sich, dem Leser "die durchgängige Illusion eines geschlossenen Daseins- und personalen Wirklichkeitszusammenhangs"[16] zu vermitteln. Ihr Imperfekt-Charakter, der nach Frisch Geschichtlichkeit vorgibt (D+T 11), ermöglicht dem Leser Identifikation und erweckt stets den Eindruck von Authentizität. Die Respektierung von Kausal- und Finalnexus trägt dazu bei, das Erzählte als 'wahre Begebenheit' erscheinen zu lassen.

Von alledem abzurücken sah Frisch sich schon früh verlockt. 'Bin' war ein erster spontaner Lösungsversuch. Im 'Tagebuch' kreist Frisch dann theoretisch um diese Fragen. Nach der Lektüre des Manuskripts 'Kleines Organon für das Theater', das Brecht ihm 1948 vorlegte, spielte er mit dem Gedanken, den Verfremdungseffekt auch auf die Erzählkunst anzuwenden:

> "Verfremdungseffekt mit sprachlichen Mitteln, das Spielbewusstsein in der Erzählung, das Offen-Artistische, das von den meisten Deutschlesenden als 'befremdend' empfunden und rundweg abgelehnt wird, weil es zu 'artistisch' ist, weil es die Einfühlung verhindert, das Hingerissensein nicht herstellt, die Illusion zerstört, nämlich die Illusion, dass die erzählte Geschichte 'wirklich' passiert sei usw." (TB I 294)

---

16 Wilhelm Emrich, Polemik, S. 67

Von diesem "Spielbewusstsein" ist dann allerdings weder im 'Stiller' noch im 'Homo Faber' viel zu spüren. Beide Romane fordern ein fühlend Herz, beide verleiten zu Anteilnahme, Engagement und Identifizierung. Tagebuchform (Stiller) wie Berichtsform (Homo Faber) besitzen den Anschein erlebter Erfahrung, suggerierender Authentizität[17]. Beide stehen mithin noch unter dem Vorzeichen: "Es war einmal". Im 'Gantenbein' erst wechselt dieses Vorzeichen, wird zum "Ich stelle mir vor", das alles Folgende ausdrücklich als Fiktion kennzeichnet. Was Albrecht Schöne von den Musil'schen Versuchsanordnungsformeln ('Gesetzt den Fall, dass . . .' oder 'Denken Sie sich das einmal in der folgenden Art . . .') sagt, gilt ohne Abstriche für Frischs "Ich stelle mir vor": "Die vorangehende Formel allein übernimmt es, das nur Potentielle, Experimenthafte festzustellen, und gibt so den nachfolgenden Indikativen gleichsam konjunktivische Färbung[18]."

Der Konjunktiv ist der Modus des Skeptikers. Auch Frisch signalisiert damit die eingeschränkte Geltung des Ausgesagten. Im früheren Werk übernahmen Wörter wie 'allerdings', 'jedenfalls', 'einigermassen', 'immerhin', 'irgendwie' diese einschränkende oder einräumende Funktion. Von ihnen — so führt Walter Schenker aus — glaube Frisch selbst, "dass sie einer Tendenz entsprechen, die Aussage abzufedern, abzumildern. Mit solchen Wörtern baue er gewissermassen die Skepsis ein. Er vertrage es nicht, wenn eine Aussage (das Statement) allzu stramm dasteht, . . .[19]"

Der Konjunktiv ist aber auch der Modus des Experimentators, welcher Handlungen und Vorgänge auf ihr mögliches Anders-Sein-können durchprobiert. Er stellt nicht fest, sondern nimmt nur an, fühlt sich im Vorläufigen heimisch und sagt: "Probieren ist herrlich[20]!"

---

17 Vgl. zu diesem Problem: Nathalie Sarraute, Das Zeitalter des Misstrauens. In: Akzente 5 (1958), v.a. S. 41
Ferner: Wolfgang Kayser, Wer erzählt den Roman? In: Die Vortragsreise. Bern: Francke 1958, S. 82ff.
18 Albrecht Schöne, Zum Gebrauch des Konjunktivs bei Robert Musil. In: Euphorion, Bd. 55, Heft 2, 1961, S. 200
19 Die Sprache Max Frischs in der Spannung zwischen Mundart und Schriftsprache, S. 79
20 Notizen von den Proben 'Andorra', S II 430

Mit der Expositionsformel "Ich stelle mir vor" grenzt Frisch sich also ab von der konventionellen Versetzungsanweisung des "Es war einmal"[21]. Erfände er nun als Handlungsträger eine Figur mit festumrissener Identität, so ginge der hypothetische Charakter des Erzählten bald vergessen. Es würde eine Geschichte entstehen, die sich von anderen nur dadurch unterscheiden liesse, dass sie ausdrücklich betont, frei erfunden zu sein. Die Figur selbst sorgte für einen kontinuierlichen Handlungsablauf. Es käme unweigerlich zu jener Imitation von Leben, die Frisch für so widersinnig und überflüssig hält. Experimente des Anders-Seinkönnens wären so wenig durchführbar wie im wirklichen Leben, wo alles einläufig ist, wo jede Handlung andere mögliche Handlungen ausschliesst.

Wie lässt sich das Auch-Mögliche, die experimentelle Variante künstlerisch realisieren? Frisch löst dieses Problem auf einfache Weise: statt eine in der empirischen Realität handelnde Person zu fingieren (wie in den Romanen vor 'Gantenbein'), fingiert er eine Person, die ihr Verhalten und ihre Erlebnisse ihrerseits nur fingiert. Somit steht das ganze Buch unter dem Vorzeichen: 'Ich stelle mir eine Figur vor, die sich vorstellt, dass...' Diese Vorstellungen bilden den Romaninhalt, und nur durch sie lernen wir die Figur kennen. Auch dieses Verfahren schlösse einen konventionellen Buch-Ablauf noch nicht aus, denn das Buch-Ich könnte sich eine einzige aus folgerichtigen Handlungen zusammengesetzte Geschichte erdenken. Das aber tut es eben darum nicht, weil es den Absichten seines Schöpfers gemäss verschiedene mögliche Geschichten *nebeneinander* an- und ausprobieren will. Es imaginiert also die disparatesten Verhaltensvarianten in einer gegebenen Situation, veräussert sich in zahllose Rollen und realisiert jede gewünschte Möglichkeit. Dies bedeutet nun notwendigerweise, dass jene Prinzipien, die eine Handlung konstituieren – nämlich Chronologie und Kontinuität – wegfallen. Keine Fabel also, kein zeitlicher Ablauf, keine Geschichte. Alles Geschehen spielt sich in der Innerlichkeit eines namenlosen Ichs ab, unabhängig von jeder äusseren Ordnung, unabhängig vor allem von der begrenzenden Ordnung eines "zuerst, dann, später" (Bin 36). Jede phantasierte

---

21 Über die "Versetzungsanweisung" und deren Funktion spricht anregend Karl Bühler in seiner 'Sprachtheorie', S. 366ff.

Episode ist Anlass zu einer nächsten, keine Möglichkeit schliesst andere aus, jede wird zur erzählbaren Wirklichkeit. Ein dünner Assoziationsfaden verhakt die einzelnen Geschichten notdürftig und verhindert als letztes begrenzendes Prinzip die totale Ideenflucht und damit die endgültige Auflösung dessen, was wir "Form" oder "Gestalt" zu nennen gewohnt sind.

Wenn "Form", wie Albin Zollinger sagt, immer "Auswahl unter Möglichkeiten" bedeutet[22], dann muss ein solcherart restringierendes Prinzip den Protest jener provozieren, denen die Mannigfaltigkeit oder Allseitigkeit des Geistes als unveräusserlich gilt. Friedrich Schlegels Programm der romantischen Poesie zeugt davon so deutlich wie die Physiognomie vieler neuerer und neuester Dichtungen: Die "Willkür des Dichters" leidet kein Gesetz mehr über sich[23], und kein tradierter Kanon kann ihm "das Recht einer reizenden Verwirrung"[24] streitig machen.

Nun gestattet der Roman — als die regelloseste, ungebundenste und damit vielseitigste Darstellungsform — die Realisierung verschiedenster künstlerischer Intentionen auf eine viel zwanglosere Weise als das Drama, das sich stofflichen wie formalen Experimenten nur dann nicht verschliesst, wenn sie die begrenzten Möglichkeiten der Bühne berücksichtigen. Dem Hier und Jetzt des Bühnengeschehens eignet naturgemäss ein hoher "Realitätsgrad" — Benjamin bescheinigt der dramatischen Form "das höchste Mass von Illusionskraft"[25]. Diese Wirklichkeitsnähe kann Max Frisch nur langweilen: "So und nur so geschieht's. Wie im Leben . . ." (Dr 16) Die Bühne scheint sich als ein — allerdings nicht hermetischer — Riegel zu erweisen für die "ebenso möglichen Varianten" (Dr 9), für das Potentielle und Irreale, für das Abwesende (Erinnerungs- und Phantasiebilder) schlechthin. Das, was Karl Bühler die "Deixis am Phantasma" nennt, bleibt — wenn auch nicht restlos — offenbar dem epischen Bereich vorbehalten, während das Theater weitgehend auf der "Demonstratio ad oculos" beruht[26].

22 Die Grosse Unruhe, Ges. Werke Bd. II, S. 453
23 Friedrich Schlegel, Athenäum-Fragment 116
24 Friedrich Schlegel, Lucinde, S. 10
25 Walter Benjamin, Der Begriff der Kunstkritik in der deutschen Romantik, hg. v. Hermann Schweppenhäuser. Frankfurt a.M.: Suhrkamp 1973, S. 78
26 Karl Bühler, Sprachtheorie, v.a. S. 121ff. u. S. 392ff.

Einschränkungen liegen dem freien Geist nicht. Die regellosere, "formlosere" Gattung des Romans dürfte seinen Neigungen und seinem Talent viel eher entsprechen. Bezeichnenderweise gehört das Drama nicht zu den überzeugendsten Leistungen der Romantiker, und auch Max Frisch ist zumindest nicht der "Dramatiker von Geblüt", als den Rudolf Hagelstange ihn feiert[27]. Die Tatsache, dass er nur bei der Hälfte der zehn vorliegenden Stücke die Erstfassung beibehielt[28], darf zwar nicht vorschnell als ein Indiz von Unsicherheit gedeutet werden, bestätigt es doch lediglich sein Unbehagen *allem* Fertigen gegenüber. Auch Frischs Scheu vor Kontinuität, seine Passion fürs Episodische und Fragmentarische, für die grüblerische Analyse der Vergangenheit und für willenlose Helden — Momente, die immerhin im Widerspruch zur idealtypologischen Wesensbestimmung des Dramas stehen[29] —, auch das kann den Dramatiker Frisch nicht einfach disqualifizieren. (Es sei denn, man entschliesse sich dazu, auch jene Autoren zu richten, die — wie Shakespeare, Goethe oder Brecht — auch Dramen gegen den Strich gattungspoetischer Bestimmungen geschrieben haben.) Skeptisch stimmt einzig Frischs ausgeprägtes Misstrauen gegenüber dem Sicht- und Hörbaren, das den eigentlichen "Dramatikern von Geblüt" — denken wir nur an den extravertierten Dürrenmatt — von Grund auf fremd ist und das sich nur schwer mit den Bedingungen und Anforderungen der Bühne vereinbaren lässt. Dass und wie aber dieses Misstrauen gerade wieder zum formbestimmenden Element werden kann, wäre an den einzelnen Dramen zu belegen und zu demonstrieren.

Auf eine ausführliche Würdigung formaler Aspekte im dramatischen Schaffen Frischs sei hier indessen verzichtet. Es liessen sich ähnliche Züge und Tendenzen aufweisen wie im erzählerischen: der Weg geht von lyrischen Versuchen über mehr realistisch ausgerichtete Darstellungen hin zum experimentierenden Kunst-Spiel oder Varianten-Theater. Es wäre zu zeigen, wie Frisch von Anfang an bestrebt ist, den erwähnten Bühnen-Riegel des Dort,

---

27 Rede auf den Preisträger (Büchner-Preis), in: Max Frisch — Beiträge zu einer Wirkungsgeschichte, S. 18
28 Vgl. die tabellarische Übersicht bei Adelheid Weise, Untersuchungen zur Thematik und Struktur der Dramen von Max Frisch, S. 141f.
29 Vgl. hierzu Peter Szondi, Theorie des modernen Dramas, S. 81

Dann, Damals zu überspielen, indem er auch Erinnertes, Geträumtes und Erträumtes in Szene zu setzen versucht. Diesem Versuch, Abwesendes zu vergegenwärtigen, läuft die Bemühung um ein Theater parallel, das nicht Realität vorgaukelt, nicht Leben imitiert und Zwangsläufigkeit exemplifiziert. Die "Dramaturgie der Fügung" oder "Dramaturgie der Peripetie", die den Eindruck erweckt, "dass eine Fabel nur so und nicht anders habe verlaufen können" (Dr 9), soll einer Dramaturgie weichen, die imstande wäre, auch das Zufällige, Beliebige, Akausale und Auch-Mögliche plausibel zu machen. Dazu muss der Ort der Handlung auf die Bühne selbst verlegt werden, denn nur wenn diese "mit sich selbst identisch" ist (S II 434), kann sie Trägerin jener Eigengesetzlichkeit sein, die Frisch vorschwebt. Dann erst wird das Geschehen recht eigentlich zum freien Spiel, und "die einzige Realität auf der Bühne besteht darin, dass auf der Bühne gespielt wird" (Dr 16). Da in der Sphäre des Spiels die Gesetze und Gebräuche des gewöhnlichen Lebens keine Geltung haben[30], ist in ihr theoretisch nichts unmöglich. "Spiel gestattet, was das Leben nicht gestattet." (Dr 16) Die Illustration dazu liefert 'Biografie: ein Spiel' — dramatisches Pendant zum 'Gantenbein' und praktische Anwendung eines ästhetischen Konzeptes, das dem Wesen seines Urhebers nicht gemässer sein könnte. In diesem Stück erprobt sich Novalis' Wort: "Spielen ist Experimentieren mit dem Zufall[31]." In diesem Stück ist auch der vorläufige Endpunkt einer Entwicklung erreicht, die gekennzeichnet ist vom Ringen um eine Form, die nicht begrenzendes, sondern erweiterndes Prinzip wäre, die nicht Verzicht bedeutete, sondern Zuwachs an Möglichkeit.

30 So Johan Huizinga, Homo Ludens. Vom Ursprung der Kultur im Spiel. Hamburg: Rowohlt 1960, S. 34
31 Werke und Briefe, hg. v. Alfred Kelletat. München: Winkler 1962, S. 443

LITERATUR-VERZEICHNIS

Die Werke Max Frischs (Benutzte Ausgaben)

Prosa

Jürg Reinhart. Eine sommerliche Schicksalsfahrt. Roman. Stuttgart/Berlin: Deutsche Verlags-Anstalt 1934
Antwort aus der Stille. Eine Erzählung aus den Bergen. Stuttgart/Berlin: Deutsche Verlags-Anstalt 1937
Blätter aus dem Brotsatz. Zürich: Atlantis 3. Aufl. 1965
Die Schwierigen oder j'adore ce qui me brûle. Roman. Zürich: Ex Libris o.J. (Lizenzdruck der Atlantis-Neuausgabe 1957)
Bin oder die Reise nach Peking. Zürich: Atlantis/Frankfurt a.M.: Suhrkamp 35.– 41. Tsd. 1965 (= Band 8 der Bibliothek Suhrkamp)
Tagebuch 1946–1949. Frankfurt a.M.: Suhrkamp 36. Tsd. 1960
Stiller. Roman. Frankfurt a.M.: Suhrkamp 1954
Homo Faber. Ein Bericht. Frankfurt a.M.: Suhrkamp 19.–23. Tsd. 1958
Mein Name sei Gantenbein. Roman. Frankfurt a.M.: Suhrkamp 66.–90. Tsd. 1964
Wilhelm Tell für die Schule. Frankfurt a.M.: Suhrkamp 1971
Tagebuch 1966–1971. Frankfurt a.M.: Suhrkamp 1972

Stücke

Stücke 1. Frankfurt a.M.: Suhrkamp 21.–30. Tsd. 1974 (suhrkamp taschenbuch 70)
Stücke 2. Frankfurt a.M.: Suhrkamp 21.–25. Tsd. 1973 (suhrkamp taschenbuch 81)
Rip van Winkle. Hörspiel. Stuttgart: Reclam 1969
Zürich-Transit. Skizze eines Films. Frankfurt a.M.: Suhrkamp 1966 (= edition suhrkamp 161)

Aufsätze, Reden, Interviews, Briefwechsel

achtung: die schweiz. Ein Gespräch über unsere Lage und ein Vorschlag zur Tat. Basel 1955 (Eine Diskussion zwischen M. Frisch, L. Burckhardt, M. Kutter.)
Öffentlichkeit als Partner. Frankfurt a.M.: Suhrkamp 1967 (= edition suhrkamp 209)
Dramaturgisches. Ein Briefwechsel mit Walter Höllerer. Berlin: Literarisches Colloquium 1969 (= LCB-Editionen 15)
Ich schreibe für Leser. Antworten auf vorgestellte Fragen. In: Dichten und Trachten. 2. Halbjahr 1964, Suhrkamp Verlag
Bienek, Horst: Werkstattgespräche mit Schriftstellern. (Mit Max Frisch S. 23–37) München: Deutscher Taschenbuch-Verlag 1965 (= dtv 291)
Bloch, Peter André und Hubacher, Edwin (Hg.): Der Schriftsteller in unserer Zeit. Schweizer Autoren bestimmen ihre Rolle in der Gesellschaft. (Gespräch mit Max Frisch S. 17–35) Bern: Francke 1972

Zitierte oder erwähnte Sekundärliteratur

Bachmann, Dieter: Nachdenken über Max F. – In: Die Weltwoche, 19. April 1972
Baden, Hans Jürgen: Der Mensch ohne Partner. Das Menschenbild in den Romanen von Max Frisch. Wuppertal: Jugenddienst-Verlag 1966

Bänziger, Hans: Frisch und Dürrenmatt. Bern: Francke 6. neu bearb. Auflage 1971

Baumgart, Reinhard: Othello als Hamlet. – In: Über Max Frisch. (Siehe unter Beckermann)

Beckermann, Thomas (Hrsg.): Über Max Frisch. Frankfurt a.M.: Suhrkamp 1971 (= edition suhrkamp 404)

Braun, Karlheinz: Die epische Technik in Max Frischs Roman 'Stiller' als Beitrag zur Formfrage des modernen Romans. Diss. Frankfurt a.M. 1959

Deschner, Karlheinz: Talente, Dichter, Dilettanten. Überschätzte und unterschätzte Werke in der deutschen Literatur der Gegenwart. Wiesbaden: Limes 1964

Dürrenmatt, Friedrich: Theater-Schriften und Reden. Zürich: Ex Libris o.J.

Emrich, Wilhelm: Polemik. Streitschriften, Pressefehden und kritische Essays um Prinzipien, Methoden und Massstäbe der Literaturkritik. Frankfurt a.M.: Athenäum 1968

Gassmann, Max: Leitmotive der Jugend. Diss. Zürich 1966

Hagelstange, Rudolf: Rede auf den Preisträger. – In: Max Frisch – Beiträge zu einer Wirkungsgeschichte. (s. unter Schau)

Jens, Walter: Max Frisch und der homo faber. – In: Über Max Frisch. (s. unter Beckermann)

Jurgensen, Manfred: Max Frisch. Die Dramen. Bern: Lukianos 1968

Jurgensen, Manfred: Max Frisch. Die Romane. Interpretationen. Bern: Francke 1972

Kaiser, Joachim: Max Frisch und der Roman. Konsequenzen eines Bildersturms. – In: Über Max Frisch. (s. unter Beckermann)

Kohlschmidt, Werner: Selbstrechenschaft und Schuldbewusstsein im Menschenbild der Gegenwartsdichtung. Eine Interpretation des 'Stiller' von Max Frisch und der 'Panne' von Friedrich Dürrenmatt. – In: Das Menschenbild in der Dichtung. Sieben Essays, hg. v. Albert Schäfer. München: Beck 1965

Meister, Ulrich: Erinnerung an Max Frisch. – In: domino, Schweizer Bücherzeitung, Juni 1972

Merrifield, Doris Fulda: Max Frischs 'Mein Name sei Gantenbein': Versuch einer Strukturanalyse. – In: Max Frisch – Beiträge . . . (s. unter Schau)

Nizon, Paul: Diskurs in der Enge. Aufsätze zur Schweizer Kunst. Bern: Kandelaber 1970

Reich-Ranicki, Marcel: Der Romancier Max Frisch. – In: Deutsche Literatur in West und Ost. Prosa seit 1945. München: Piper 1963

Schau, Albrecht (Hrsg.): Max Frisch – Beiträge zu einer Wirkungsgeschichte. (Materialien zur deutschen Literatur Bd. 2) Freiburg i.Br.: Universitätsverlag Becksmann 1971

Schenker, Walter: Die Sprache Max Frischs in der Spannung zwischen Mundart und Schriftsprache. Quellen und Forschungen zur Sprach- und Kulturgeschichte der germanischen Völker, N.F. 31. Berlin: de Gruyter 1969

Schmid, Karl: Unbehagen im Kleinstaat. Untersuchungen über Conrad Ferdinand Meyer, Henri-Frédéric Amiel, Jakob Schaffner, Max Frisch, Jacob Burckhardt. Zürich: Artemis 1963

Schröder, Jürgen: Spiel mit dem Lebenslauf. Das Drama Max Frischs. In: G. Neumann / J. Schröder / M. Karnick: Dürrenmatt, Frisch, Weiss. Drei Entwürfe zum Drama der Gegenwart. München: Fink 1969

Schwab-Felisch, Hans: Die erfolgreiche 'Biografie'. – In: Beiträge . . . (s. unter Schau)

Staiger, Emil: Bin oder die Reise nach Peking. Schweizer Monatshefte 25 (1945)

Stäuble, Eduard: Max Frisch. Gesamtdarstellung seines Werkes. Mit einer Bibliographie von Klaus-Dietrich Petersen. St. Gallen: Erker 3. erw. Aufl. 1967

Suter, Gody: Graf Oederland mit der Axt in der Hand. – In: Über Max Frisch (s. unter Beckermann)

Weber, Werner: Max Frisch 1958. – In: Bestand und Versuch. Schweizer Schrifttum der Gegenwart, hg. v. B. Mariacher u. Fr. Witz. Zürich: Ex Libris o.J.

Wehrli, Max: Gegenwartsdichtung der deutschen Schweiz. – In: Deutsche Literatur in unserer Zeit, hg. v. Wolfgang Kayser. Göttingen: Vandenhoeck u. Ruprecht 4. erw. Aufl. 1966

Weise, Adelheid: Untersuchungen zur Thematik und Struktur der Dramen von Max Frisch. Göppinger Arbeiten zur Germanistik. Göppingen: Kümmerle 1967

Weisstein, Ulrich: Max Frisch. New York: Twayne Publishers 1967

Wintsch-Spiess, Monika: Das Problem der Identität im Werk Max Frischs. Diss. Zürich: Juris 1965

Übrige zitierte Werke

Die für diese Arbeit weniger wichtigen und nur einmal zitierten Bücher werden hier nicht mehr aufgeführt. Sie sind bereits in den Anmerkungen nachgewiesen.

Adorno, Theodor W.: Kierkegaard. Konstruktion des Aesthetischen. Frankfurt a.M.: Suhrkamp 3. erw. Aufl. 1966

Bloch, Ernst: Das Prinzip Hoffnung. Frankfurt a.M.: Suhrkamp 11.–15. Tsd. 1968 (= Wissenschaftliche Sonderausgabe)

Binswanger, Ludwig: Grundformen und Erkenntnis menschlichen Daseins. München/ Basel: Reinhardt 4. Aufl. 1964

Bühler, Karl: Sprachtheorie. Die Darstellungsfunktion der Sprache. Stuttgart: Gustav Fischer 2. Aufl. 1965

Cassirer, Ernst: Philosophie der symbolischen Formen. Erster Teil. Die Sprache. Darmstadt: Wissenschaftliche Buchgesellschaft 1964

Dreitzel, Hans Peter: Die gesellschaftlichen Leiden und das Leiden an der Gesellschaft. Vorstudien zu einer Pathologie des Rollenverhaltens. Göttinger Abhandlungen zur Soziologie und ihrer Randgebiete Bd. 14 Stuttgart: Enke 1968

Hartmann, Nicolai: Möglichkeit und Wirklichkeit. Berlin: de Gruyter 1938

Heidegger, Martin: Sein und Zeit. Tübingen: Niemeyer 10. Aufl. 1963

Kierkegaard, Sören: Entweder-Oder. Erster Teil und Zweiter Teil. Übersetzt von Wolfgang Pfleiderer und Christoph Schrempf. Gesammelte Werke Bd. 1 und Bd. 2. Jena: Diederichs 1922

Kierkegaard, Sören: Furcht und Zittern / Die Wiederholung. Übersetzt von H. E. Ketels, H. Gottsched, Chr. Schrempf. Gesammelte Werke Bd. 3. Jena: Diederichs 3. Aufl. 1923

Löwith, Karl: Das Individuum in der Rolle des Mitmenschen. Darmstadt: Wissenschaftliche Buchgesellschaft 1969 (Reprographischer Nachdruck der Ausgabe 1928)

Musil, Robert: Der Mann ohne Eigenschaften. Roman. Hg. v. Adolf Frisé. Hamburg: Rowohlt 1970 (Sonderausgabe)

Nietzsche, Friedrich: Werke in drei Bänden. Hg. v. Karl Schlechta. München: Hanser 1966

Plessner, Helmuth: Soziale Rolle und menschliche Natur. – In: Erkenntnis und Verantwortung. Festschrift für Theodor Litt. Hg. v. J. Derbolav und F. Nicolin. Düsseldorf: Pädagogischer Verlag Schwann 1960

Plessner, Helmuth: Das Problem der Öffentlichkeit und die Idee der Entfremdung. – In: Diesseits der Utopie. Ausgewählte Beiträge zur Kultursoziologie. Düsseldorf: Diederichs 1966

Schmitt, Carl: Romantik (1924). – In: Begriffsbestimmung der Romantik. Hg. v. Helmut Prang. Darmstadt: Wissenschaftliche Buchgesellschaft 1968

Staiger, Emil: Grundbegriffe der Poetik. Zürich: Atlantis 7. Aufl. 1966

Staiger, Emil: Meisterwerke deutscher Sprache aus dem neunzehnten Jahrhundert. München: Deutscher Taschenbuch Verlag 1973 (= dtv Wissenschaftliche Reihe 4141)

Szondi, Peter: Theorie des modernen Dramas (1880–1950). Frankfurt a.M.: Suhrkamp 7. Aufl. 1970 (= edition suhrkamp 27)

Wiese, Benno v.: Zur Wesensbestimmung der frühromantischen Situation (1928). – In: Begriffsbestimmung der Romantik. (s. unter Schmitt)

Zollinger, Albin: Gesammelte Werke (4 Bände). Zürich: Atlantis 1961

Nr. 26 Vera Debluë, Zürich: Anima naturaliter ironica – Die Ironie in Wesen und Werk Heinrich Heines. 100 S. 1970.

Nr. 27 Hans-Wilhelm Kelling, Stanford/USA: The Idolatry of Poetic Genius in German Goethe Criticism. 200 p. 1970.

Nr. 28 Armin Schlienger, Zürich: Das Komische in den Komödien des Andreas Gryphius. Ein Beitrag zu Ernst und Scherz im Barocktheater. 316 S. 1970.

Nr. 29 Marianne Frey, Bern: Der Künstler und sein Werk bei W. H. Wackenroder und E. T. A. Hoffmann. Vergleichende Studien zur romantischen Kunstanschauung. 216 S. 1970.

Nr. 30 C. A. M. Noble, Belfast: Krankheit, Verbrechen und künstlerisches Schaffen bei Thomas Mann. 268 S. 1970.

Nr. 31 Eberhard Frey, Waltham/USA: Franz Kafkas Erzählstil. Eine Demonstration neuer stilanalytischer Methoden an Kafkas Erzählung "Ein Hungerkünstler". 382 S. 1970.

Nr. 32 Raymond Lauener, Neuchâtel: Robert Walser ou la Primauté du Jeu. 532 p. 1970.

Nr. 33 Samuel Berr, New York: An Etymological Glossary to the Old Saxon Heliand. 480 p. 1970.

Nr. 34 Erwin Frank Ritter, Wisconsin: Johann Baptist von Alxinger and the Austrian Enlightenment. 176 S. 1970.

Nr. 35 Felix Thurner, Fribourg: Albert Paris Gütersloh – Studien zu seinem Romanwerk. 220 S. 1970.

Nr. 36 Klaus Wille, Tübingen: Die Signatur der Melancholie im Werk Clemens Brentanos. 208 S. 1970.

Nr. 37 Andreas Oplatka, Zürich: Aufbauform und Stilwandel in den Dramen Grillparzers. 104 S. 1970.

Nr. 38 Hans-Dieter Brückner, Claremont: Heldengestaltung im Prosawerk Conrad Ferdinand Meyers. 102 S. 1970.

Nr. 39 Josef Helbling, Zürich: Albrecht von Haller als Dichter. 164 S. 1970.

Nr. 40 Lothar Georg Seeger, Washington: The "Unwed Mother" as a Symbol of Social Consciousness in the Writings of J. G. Schlosser, Justus Möser, and J. H. Pestalozzi. 36 p. 1970.

Nr. 41 Eduard Mäder, Freiburg: Der Streit der "Töchter Gottes" – Zur Geschichte eines allegorischen Motivs. 136 p. 1971.

Nr. 42 Christian Ruosch, Freiburg: Die phantastisch-surreale Welt im Werke Paul Scheerbarts. 136 S. 1970.

Nr. 43 Maria Pospischil Alter, Maryland/USA: The Concept of Physician in the Writings of Hans Carossa and Arthur Schnitzler. 104 S. 1971.

Nr. 44 Vereni Fässler, Zürich: Hell-Dunkel in der barocken Dichtung – Studien zum Hell-Dunkel bei Johann Klaj, Andreas Gryphius und Catharina Regina von Greiffenberg. 96 S. 1971.

Nr. 45 Charlotte W. Ghurye, Terre Haute, Indiana/USA: The Movement Toward a New Social and Political Consciousness in Postwar German Prose. 128 p. 1971.

Nr. 46 Manfred A. Poitzsch, Minneapolis, Minnesota/USA: Zeitgenössische Persiflagen auf C. M. Wieland und seine Schriften. 220 S. 1972.

Nr. 47 Michael Imboden, Freiburg: Die surreale Komponente im erzählenden Werk Arthur Schnitzlers. 132 S. 1971.

Nr. 48 Wolfgang Dieter Elfe, Massachusetts/USA: Stiltendenzen im Werk von Ernst Weiss, unter besonderer Berücksichtigung seines expressionistischen Stils (Ein Vergleich der drei Druckfassungen des Romans "Tiere in Ketten"). 80 S. 1971.

Nr. 49 Alba Schwarz, Zürich: "Der teutsch-redende treue Schäfer". Guarinis "Pastor Fido" und die Übersetzungen von Eilger Mannlich 1619, Statius Ackermann 1636, Hofmann von Hofmannswaldau 1652, Assman von Abschatz 1672. 284 S. 1972.